中川政七商店が
18人の学生と挑んだ
「志」ある商売の
はじめかた

中川政七商店　十三代
中川淳 著

アナザー・ジャパン

はじめに　本書の読み方〈「志」ある商売には何が必要か〉

企業の行き過ぎた短期利益追求が地球環境を傷め、社会にしわ寄せが及び、限界を迎えつつある現在、ポスト資本主義が模索されています。これからの時代における「いい会社」とは何なのか？　その問いに対する答えの一つは、いいビジョンを持ち、その達成のために全力を尽くすことだと考えます。

本書の前半では、ビジョン＝志を起点に、いかにしてビジネス全体の設計図をつくり上げるかを話していきます。物事を始めるには、まず全体の設計図が必要です。ビジネスももちろん同様です。全体の設計図を描くために必要なのは、こうなりたい、こうしたいという「意思」です。意思なくして物事は始まりません。そして、その意思には「社会性」と「愛情」と「覚悟」が含まれていなければなりません。個人の「意思」が会社になったとき、ビジョン、ミッションあるいはパーパスへと昇華します（この3つはすべて同じようなものなので、本書では今後ビジョンと表記しますが、必要とあれば各自読み替えていただければと思います）。

そして、そのビジョンを達成するにはどうしたらよいのかを損得の前に考え、独自のユニークな競争戦略を生み出していきます。これによってビジョンをきれいごとで終わらせず、実現可能な道筋を描き出します。「『志』ある商売のはじめかた」の肝はそこにあります。

本書の後半（9章〜）では、前半で描いた全体の設計図をいかに実装していくのかを3つのファンクション（プロダクト、コミュニケーション、オペレーション）に分けて詳細に解説していきます。ビジョンと競争戦略を描けたとしても、それを戦術・戦闘に落とし込まなくては意味がありません。

また、ブランドが動き出した後のフェーズについても考えていきます。ブランドをつくるフェーズと、ブランドが動き出した後のフェーズとでは考え方がまったく異なります。この切り替えがうまくできずに、結果としてうまく立ち上がらないブランドを数多く見てきました。ブランドが立ち上がった後は、お客さんがいて、その反応があるのです。お客さんと向き合いながら理想とするあるべき姿にいかに近づけていくのか、それを阻害しているものは何か、それを解消するには何をすればよいのか、そういったPDCAを回しながら進んでいかねばなりません。前半が右脳寄りの思考に対して、後半は左脳寄りの思考といえるかもしれません。

こうした内容を、教科書形式ではなく、あえてストーリー形式でお届けいたします。18人の学生と共に「アナザー・ジャパン」というお店をオープンさせるまでの生々しいやり取りを、実況中継的にテキストにしています。抽象論としては理解しても、それを実践に持ち込むのはなかなか難しいものです。特に、本書の主題である「**ビジョンからユニークな競争戦略を導く**」というのは、フレームワークに当てはめさえすればうまくいくものではありません。さまざまな視点で材料を集めながら、有機的に仕上げていく過程です。経営の前提知識のない学生が主体となってビジョンを考え、それをお店という形に仕上げていく過程を共有することで、「ビジョンからユニークな競争戦略を導く」過程を実践的な知識としてお伝えできればと期待しています。

本音と建前、理想と現実、ダブルスタンダードに陥らず、いい会社をつくりたい、いい会社で楽しく働きたいと思っているすべての方に、ぜひ読んでいただきたいと思います。

PROLOGUE

「もうひとつの日本」をつくるアナザー・ジャパン

本書の舞台「アナザー・ジャパン」とは？

読者のみなさまに「志ある商売のはじめかた」を追体験していただく舞台は、三菱地所株式会社（以下、三菱地所）と株式会社中川政七商店（以下、中川政七商店）による共同プロジェクト「アナザー・ジャパン」です。

三菱地所が東京駅日本橋口前に位置する常盤橋街区で開発を進めている「TOKYO TORCH」において、各地域出身の学生たちが自らの地元をPRすべく47都道府県地域産品セレクトショップを経営しています。そのショップこそ「アナザー・ジャパン」です。

最大の特徴は、戦略策定、収支管理、商品仕入れ、売り場演出、プロモーション、接客など、店舗経営をすべて学生だけで担う点です。三菱地所は舞台となる空間を、中川政七商店は経営や小売

「アナザー・ジャパン」1期生の学生たち（2022年8月のオープン時のもの）

りのノウハウを提供してサポートしますが、あくまでも経営主体は学生たちです。

本書は、店舗開業前後に中川政七商店が学生向けに行った経営研修の模様をまとめたものです。その内容は実践的であり、リアリティーがあります。

なぜ、アナザー・ジャパンに取り組むのか

三菱地所が開発を進める「TOKYO TORCH」は、「日本を明るく、元気にする」というプロジェクトビジョンを掲げ、東京駅前という日本全国から人が集まる場所で、東京と地方が一緒に元気になっていくようなまちづくりを進めています。

2027年度には、日本一の高さを誇る「Torch Tower」が竣工予定です。その中の大型商業ゾーンの計画に当たり、「より深く、長く地域に関与できる新しい施設の在り方」を模索する中で、中川政

街区完成時のTOKYO TORCH低層部イメージ

七商店にご相談をいただいたのがプロジェクト始動のきっかけでした。

2020年末、三菱地所との最初の打ち合わせで、「学生が経営する地域産品セレクトショップ」という構想を提案させていただきました。若い世代が主体となって、東京と地方を一緒に元気にする、TOKYO TORCHの核となる取り組みだと確信していただき、プロジェクトが本格始動していきました。

中川政七商店がこのアイデアを提案した背景には、「地方の経営人材の不足」という課題があります。当社は「日本の工芸を元気にする！」というビジョンを掲げ、メインの製造小売事業にとどまらず、産地支援事業として日本各地の工芸メーカーのコンサルティングや経営者教育を行っています。その過程で痛感したのは「地方には、優秀な経営者が足りない」という実情です。マーケティングやブランディング以前に、経営の基礎ができていない会社が想像以上に多いのです。「日本の工芸を元気にする！」ためには、優秀な人材に地方で経営を担ってもらうことが重要な課題です。

現在の日本社会では、優秀な人材は東京に集まります。それを逆転させて、優秀な人材が地方に移り、経営を担っていく流れをつくりたい。そのためには、学生のうちから地方と深く関わる取り組みを実施できるといいのではないか。さらにそこに経営者教育という要素を掛け合わせていく。「学生経営×地方創生」という構想が生まれ、アナザー・ジャパンへとつながっていきました。

最初の打ち合わせから1年の検討期間を経て、2021年12月に合同で記者会見を実施し、「アナザー・ジャパン・プロジェクト」を本格始動させました。「日本の未来に灯りをともす」という共同ビジョンを掲げ、Torch Tower開業までの約5年の歳月をかけてプロジェクトを育てていきます。第1期店舗（約40坪）を2022年8月に開業。2027年度には規模を大幅に拡大して第2期店舗をTorch Towerに開業予定です。

特徴は実践型教育

記者会見と同時に、第1期店舗の開業を担う学生18人の募集を開始しました。プロジェクトコン

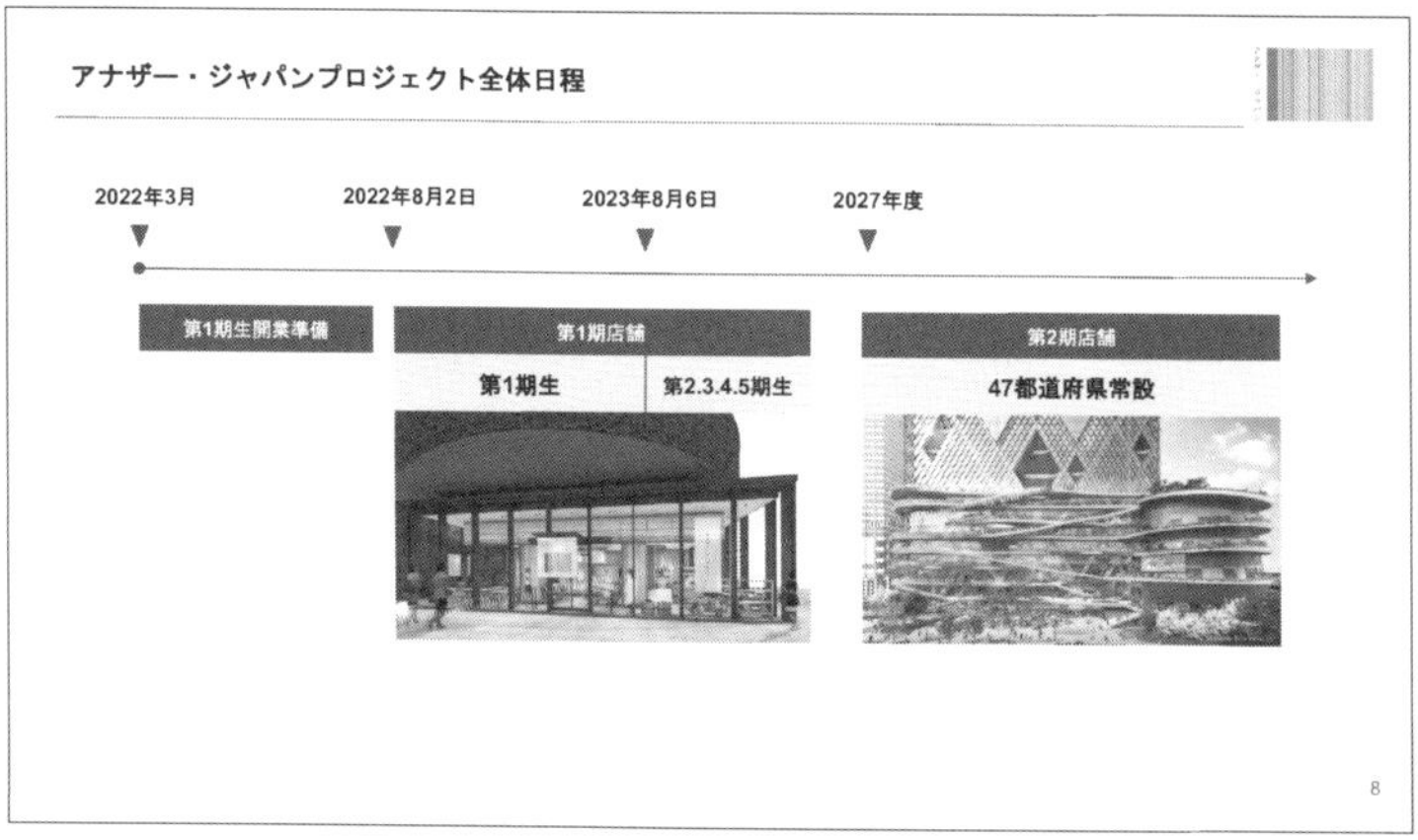

セプトを「**私たちがつくる、もうひとつの日本**」と掲げ、「**フロンティアスピリット**」と「**郷土愛**」を人材要件として募集。初年度ながら200人弱の学生に応募いただき、第1期生18人が選抜されました。アナザー・ジャパンの経営を担い、東京駅前にもうひとつの地元をつくる彼らのことを「セトラー(Settler、開拓者)」と名づけています。本書でもその呼び名をそのまま使わせていただきます。

2022年3月に経営研修を開始し、半年で開業までこぎ着けました。研修の講師は、中川政七商店会長・中川淳と中川政七商店社員、アナザー・ジャパンのクリエイティブ・ディレクションを担った合同会社オフィスキャンプが務めました。本書には、この半年間の研修記録を収録しています。

アナザー・ジャパンの教育プログラムの特徴は「**プロジェクト・ベースド・ラーニング**(**Project Based Learning**)」、実践型教育であることです。社員は店舗に常駐せず、経営を学生に徹底的に任せています。経営を学ぶには、真剣勝負の場が必要です。真剣勝負というのは「失敗もあり得る」ということです。企業側が敷いたレールの上で、ある程度着地点の見えている企画を学生に任せても、学びは浅くなります。

座学で「型」を伝えた後は、商品のセレクト、仕入れ交渉、プロモーション、販売までの一切を学生が自分たちで行います。自分たちの判断と行動が、店舗の売り上げ・利益に直結します。そうした「失敗」の可能性も含めて、常に真剣勝負の中で得られる経験のほうが学びは大きいはずですし、社会に出てからも生きるはずです。本書で使用した図表の中には、研修の過程で学生たちが自ら作成したものが多くありますが、そのままの感じをできるだけ残すように掲載しています。彼ら、彼女らの努力を少しでもお伝えできればと思います。

エリア店舗の特徴

第1期店舗は約40坪で、物販とカフェが併設しています（※カフェは別会社が運営）。日本全国を「北海道・東北」「関東」「中部」「近畿」「中国・四国」「九州（沖縄含む）」の6エリアに分け、2カ月ごとに地域を切り替えながら企画展を展開していきます。各エリア出身のセトラーが3人ずつチームとなり、自分のエリアをテーマにした企画展経営を担います。開業時の企画展は、学生の希望で九州に決まりました。そのため、本書では九州の企画展経営の様子も収録しています。

本書では、学生18人全員を紹介することはできないので、便宜上「カントウ」「キュウシュウ」のように、発言者をチームとして明記しています。

アナザー・ジャパンのクリエイティブ

第1期生募集に先がけて、プロジェクトのコンセプトや店舗のクリエイティブはプロジェクトチームで進めました。クリエイティブ・ディレクションを、奈良県東吉野村を拠点とするクリエイティブファーム、合同会社オフィスキャンプに担っていただきました。代表の坂本大祐さんには7章「アナザー・ジャパンのコンセプト」で、コンセプトづくりのプロセスを話していただいております。

ロゴは、同じくオフィスキャンプの勝山浩二さんにデザインしていただきました。「バーコードみたい」とよく言われるこのロゴですが、実は47都道府県の面積比を反映した47本の赤線で構成しています。「47都道府県出身の学生が集まってお店を経営して、もうひとつの日本をつくる」というアナザー・ジャパンの趣旨、コンセプトを象徴

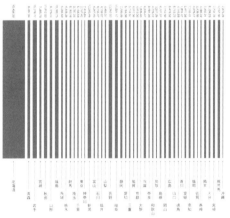

「アナザー・ジャパン」のロゴ

するロゴに仕上げていただきました。このロゴをモチーフとして店舗内装やショッパーなどにも生かしています。

エリアメンターの支援

教育プログラムのもう一つの特徴として、各地方を熟知するクリエイターの方々と連携し、「エリアメンター」として学生の経営をサポートしていただいています。セトラーは、各エリアメンターから「地域を見るうえでの心構え」を学び、コンセプトづくりや商品セレクトにアドバイスを頂いています。

本書では、第1期エリアメンター6人を代表して、キュウシュウのエリアメンターであるBRIDGE KUMAMOTO代表の佐藤かつあきさんに登場してもらっています（247ページ参照）。

「アナザー・ジャパン」店舗外観。東京駅日本橋口より徒歩5分
（撮影：西岡潔）

店舗内の様子

撮影：西岡潔

6

企画展の日程

日本全国を、「北海道・東北」「中部」「関東」「近畿」「中国・四国」「九州」の6ブロックに分け、2か月ごとに特集地域を切り替えていきます。

それぞれの地域で商品をセレクトした学生が、2か月間の店舗立ち上げから運営まで行います。

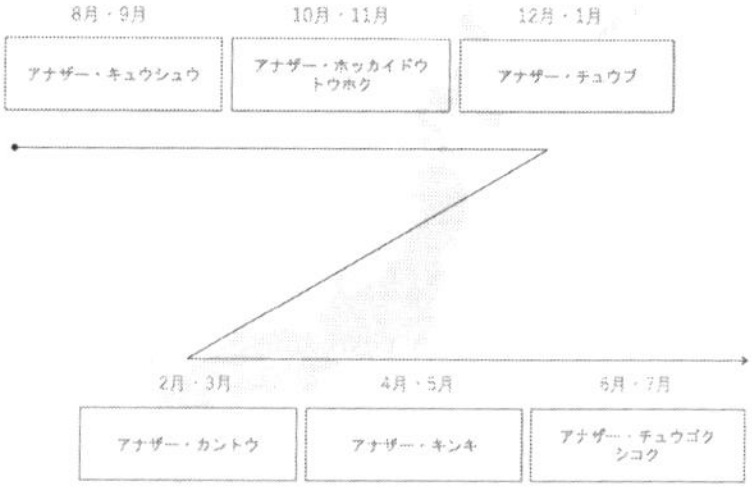

7

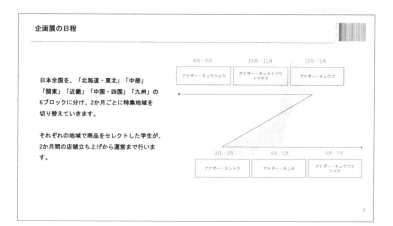

アナザー・ジャパン・プロジェクトとアナザー・ジャパンの区別

本書では、三菱地所と中川政七商店が運営するプロジェクト全体を「アナザー・ジャパン・プロジェクト（AJP）」と呼んで、学生が経営する店舗「アナザー・ジャパン（AJ）」とは区別しています。

学生が半年かけて立ち上げ、開業後も収支の確保とビジョンの実現に向けて悪戦苦闘しているプロセスを通じて、「志」ある商売のはじめかたのエッセンスをつかみ取っていただければ幸いです。

1章

会社と中期経営計画

〈この章のポイント〉

1. 会社はビジョンを達成するために存在する。

2. ビジョンは「自己実現」「社会貢献」「利益追求」の重なるところ。

3. 中期経営計画はビジョン＋競争戦略。

4. 経営は「命を取られるわけちゃう」けど「命を懸ける一歩手前の覚悟で」。

会社とは何か？

アナザー・ジャパン、始動！

アナザー・ジャパンの発案者の中川です。三菱地所さんからプロジェクトのオファーを頂いてから1年ちょっと、みなさんを迎えて今日の経営研修を始めるところまで到達できたのが、まずはうれしいです。研修プログラムの資料は300枚くらいあるんですが、久しぶりにこんなにやりこみました。2016年の中川政七商店300周年のときに能舞台で襲名披露をしましたが、アナザー・ジャパンには、そのときと同じくらいの思い入れがあります。

数年前から、地元の大学で特任教授をしています。学生たちはみんな優秀です。でも、社会に出て、全員が大活躍とはならないのが現実です。活躍するために何が大事かというと、それは**ビジネスの基本をインプットしておくこと**です。社会に出て仕事が始まると、目の前のことを習って、学んでいきますよね。しかし、目の前の業務というビジネスの表面的なところを捉えるのではなくて、その根っこにあるビジネスの考え方をきちんとインストールしておく。それだけで、結果は大きく変わってきます。

アナザー・ジャパンという取り組みは、進めながら学ぶ、学びながら進める「**プロジェクト・ベースド・ラーニング**」です。「インプット（座学）」と「アウトプット（実践）」を意識して、アウトプットを前提としてインプットするようにしてください。学校の勉強にも、学んだことを試すテストや受験がありますよね。アウトプットする意識がないと、学びは深くなりません。これから始まる研修も、講義とグループワークを通じて、インプット、アウトプットを細かく繰り返していきます。短い時間で考えることを積み重ねてもらって、研修が終わった時点で、アナザー・ジャパンの中期経営計画ができていることが最初の目標です。

何かに挑戦する限りは、合格、不合格だったり、うまくいったり、いかなかったりという結果があります。今回は、実際にアナザー・ジャパンというショップを運営していくので結果が分かりやすいですよね。売り上げが目標に届くか、届かないか。

アナザー・ジャパンの取り組みは、大人がレールを敷いて、そこをみんなに歩いてもらうというものではありません。大学生向けのインターンではなくて、**真剣勝負の場**です。結果は、本当にみなさん次第。１００が２００、３００になるかもしれないし、10にしかならないこともある。そういう場だということを理解して、取り組んでもらいたいと思っています。

もちろん、たとえ失敗しても学べることはあります。しかし、失敗して得られるものと成功して得られるものは、決定的な違いがあります。それは、**自信**です。

僕が日本各地でコンサルティングをしている中で、だいたい、取り組みの後半辺りで、経営者たちは不安になってしまうんです。不安に押しつぶされそうになって、そこに、「大丈夫ですよ」と言い続けるのが僕の役割です。会社が何年もうまくいっていないと、負け癖みたいなものが付いて、うまくいくイメージが持てなくなってしまう。そうすると、また失敗してしまいます。

つまり、**勝ち癖が付いているか、成功体験が積み重なっているか**が重要です。そのために、今回のプロジェクトは絶対に成功させてもらいたい。成功はすべてを癒やしてくれます。逆に、うまくいかないと悲しい思いをするし、実害を被ることになります。なんとしても成功させるんだという真剣さだけは、常に持っていただきたいと思います。

マインドセットとしては、みなさんは、お客さんでも生徒でも、アルバイトでもインターンでもありません。私たちともフラットな関係で、一人ひとりが本気で成功にコミットする、「チーム アナザー・ジャパン」の一員です。

学生たちが小売事業の主体

学生である以上、学業にはもちろん打ち込んでもらいながら、それ以外のところでは、この取り組みに時間と気持ちを注いでもらいたいです。周辺事業は三菱地所や中川政七商店が担当しますが、アナザー・ジャパンという小売事業の主体はあくまでもみなさんです。店舗運営など、小売事業の部分は自分たちの責任範囲だと考えてやってもらいたいです。

さて、今日から始まる研修のゴールは、成功のためのスタンスとスキルを身に付けること。**最終的なアウトプットは、アナザー・ジャパンの中期経営計画をつくること**です。

研修では、インプット、アウトプットを繰り返しながら、小売事業をするために欠かせないことを積み上げていきます。2022年8月のオープンまでに、考えておくべきこと、決めておくべきことが山のようにあります。

オープン後は、実際に店を運営していかなければならないので、経営という大枠を考える時間はほとんどなくなります。さらに言えば、本当に大切なのは考えて出したアイデアが何点かということよりも、その後、どれだけ点数を上げていくことができるか。研修期間中ももちろん頑張って、なるべく高い点数でアイデアを形にする。さらに、オープン後も目の前のことばかりにとらわれることなく、日々、点数を上げていく。事業を始めてみて、問題がないなんてことはありません。ダメな経営者がどんな人かというと、問題が見えない、問題なんてないと思っている人です。**課題を把握せず、優先順位を付けられないのが一番ダメです。**店がオープンすると、100個くらい問題が発生します。その中で、クリティカルなものはどれか、優先順位を付けながら一つずつ解決していく仕組みをつくって、改善し続けるしかありません。

みんなの個人の成長は、この研修期間にもあると思いますが、オープン後により大きな成長があるほうが望ましいです。**オープン1カ月目に予算を達成するより、最初は予算に届かなかったとしても、その後、売り上げを伸ばしていくことのほうが重要なのです。**

会社とは何か?

最初に、「アナザー・ジャパンとは?」というそもそもの話をしておきます。すでに、みんなの中でもイメージができてきていると思うけど、そこをあらためてビジネス視点で見ていきたいと思います。アナザー・ジャパンが何かを考えていくと、**そもそも会社とは何か**という問題に行き着きます。何をするにも、「そもそも」をクリアにしておかないと進みにくいものです。みんな、会社って何ですか。会社は何のために存在しているのでしょうか。

ホクトウ（※注釈）　消費者の視点ですが、私たちの生活を豊かにする、彩りを与えてくれる。社会で生きていくうえでの、生活の大きな支えになるものです。

そうですよね。ほかにありますか。

カントウ　一人ひとりの生活をどう豊かにするか、よくできるかというビジョンに共感した人が集まって、個人では達成し得ないことを、チームで世の中にインパクトを持ってやっていく。1人でやっていることと、会社でやることは違うと思います。

そうですね。会社といっても、いろんな種類があります。代表的なのが株式会社。株式会社の起源って知っていますか？　大航海時代、当時の船は頻繁に難破しちゃ

アナザー・ジャパンでは18人の学生を出身エリアで6チームに分けている。チーム名は「ホッカイドウ・トウホク（ホクトウ）」「カントウ」「チュウブ」「キンキ」「チュウゴク・シコク（チュウシコク）」「キュウシュウ」。開拓者精神と郷土愛にあふれた学生たちのことを「セトラー」（Settler：開拓者）と呼ぶ。

うので、10隻が貿易に出ても帰ってくるのはそのうちの数隻のみ。だから、貿易船を1隻だけ所有していると、リターンがゼロになっちゃうことがありました。そこで、船のオーナーが10人集まってお金を出し合って、無事に戻った数隻分の利益を10人で分けるようにした。つまり、リスクを分散して確実にお金がもうかるという仕組みをつくりました。これは、今も基本的には変わっていません。株主が資本金を出して、経営陣が運営して、株主に還元する。それが、株式会社です。

会社も変わりつつある

でも、それだけでいいのかというのが現代です。資本家が投資をして、経営者も従業員も、資本を増やすために働いているというと、ちょっと違和感がありますよね。かつての株式会社の在り方はそうで、利益が出るならそれ以外のこと、例えば環境問題とかを気にする必要はないという考え方が行きわたっていました。それが、少しずつ変わりつつあるのが今の状況です。

会社って法人ともいうので、会社を人として捉えることもできます。これはもう古いといわれることもありますが、マズローの「欲求5段階説」では、人の根源的な欲求として、「生理的欲求」「安全欲求」「社会的欲求」「承認欲求」「自己実現欲求」があります。法人も、これと似たような欲求を抱えています。生理的欲求や安全欲求は「**利益追求**」。社会的欲求や承認欲求は、「**社会貢献**」です。「**自己実現**」は会社でも同じで、法人はこういった3つの欲求を抱えています。

　利益追求だけではなく社会貢献すべきだという考え方はこれまでもありました。CSR（Corporate Social Responsibility）はその一つですね。CSRは、企業として社会に果たすべき責任があるよね、ということです。例えば、電機メーカーが、本業は家電を作ることだけど、社会貢献としてアフリカにワクチンを寄付するという取り組みがあったとします。このように、利益追求や自己実現という本業とは別に存在する社会貢献がCSRです。CSRという言葉は30〜40年前から、比較的最近まで使われてきました。

マズローの欲求5段階説

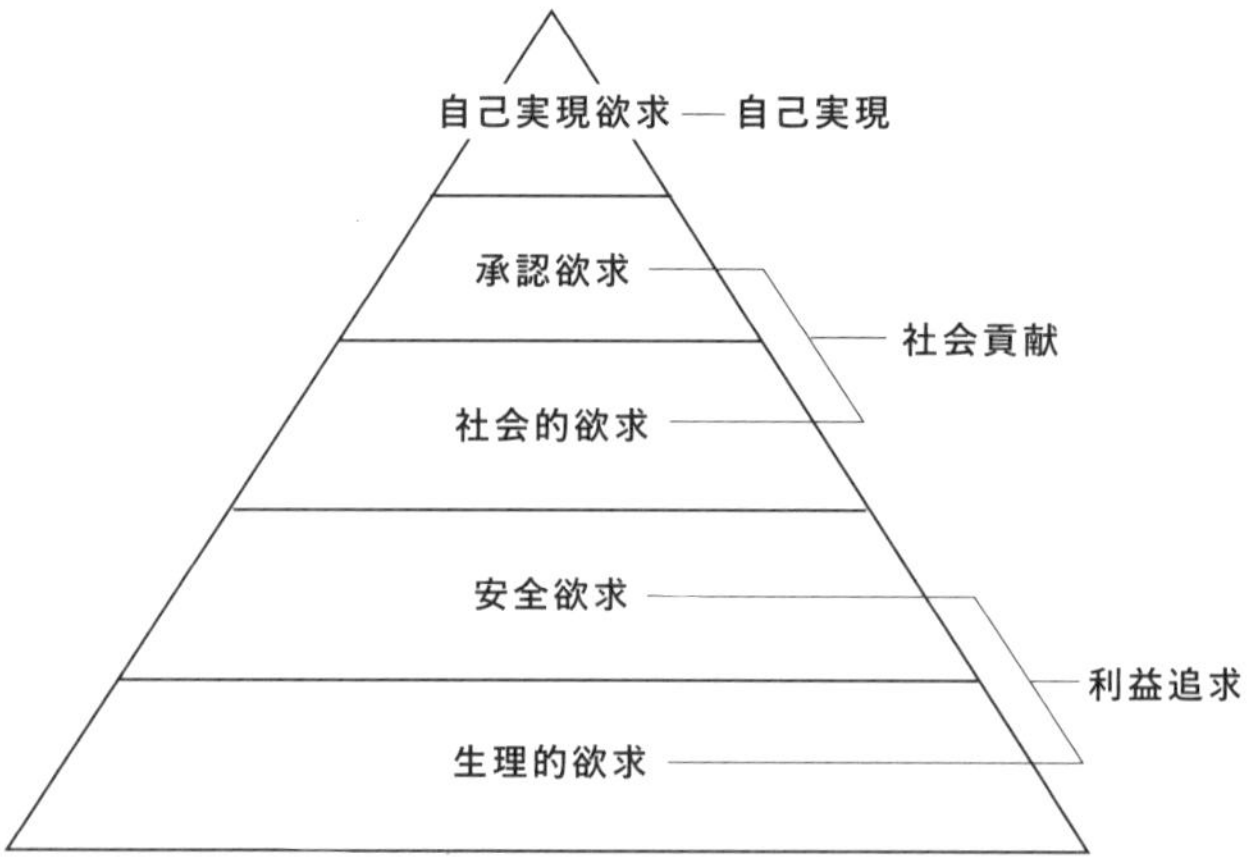

しかし、本業と社会貢献がつながっていないことの苦しさというか虚しさというか、限界を感じる人が多いという課題を抱えていました。だって、本業で社会貢献するのが本筋じゃないですか。利益追求が社会貢献につながっているのがあるべき姿だねってことで、**CSV（Creating Shared Value）**という考え方が生まれました。CSVは、利益追求であり、自己実現であり、社会貢献でもある。今は、CSVが重要といわれるようになってきています。

会社は「ビジョンを達成するためにある」

でも、「こういう会社になろうね」っていっても、実際には難しい。中川政七商店は、会社の利益追求と自己実現、社会貢献が、「日本の工芸を元気にする！」というビジョンでつながっている

CSVとCSRの違い

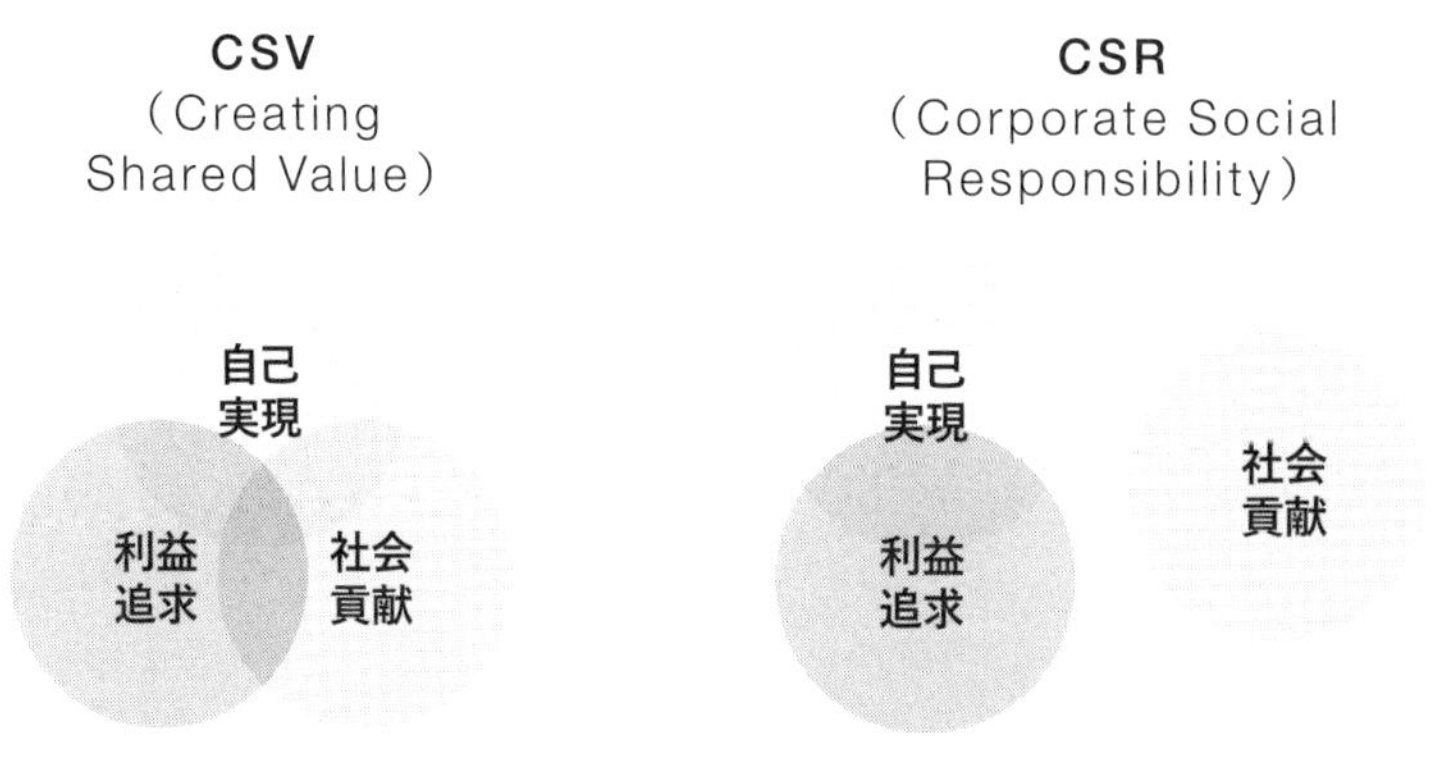

（※左ページの注釈）ので、今までやってこられたようなものです。この3つは、ずれがちです。利益追求をする中で、社会貢献のバランスをどう取るか。ずれないようにするには、ビジョンが大きな役割を果たします。

ビジネスをしていると、「こっちのほうがもうかるよね」っていう場面はいくらでもあります。お金をもうけたければ、1000円の仕入れ価格を値切って、700円にしてもらえばいいじゃないですか。でもこれだと、利益追求と自己実現はできるけど、社会貢献はクリアできません。3つをバランスさせながらビジネスすることが、これからの会社の在り方です。

そのためにはビジョンが最も重要で、会社はビジョンを達成するために存在すると言い切れます。会社とは何かという説明に対しては、いろいろな回答

3つの重なりがビジョン

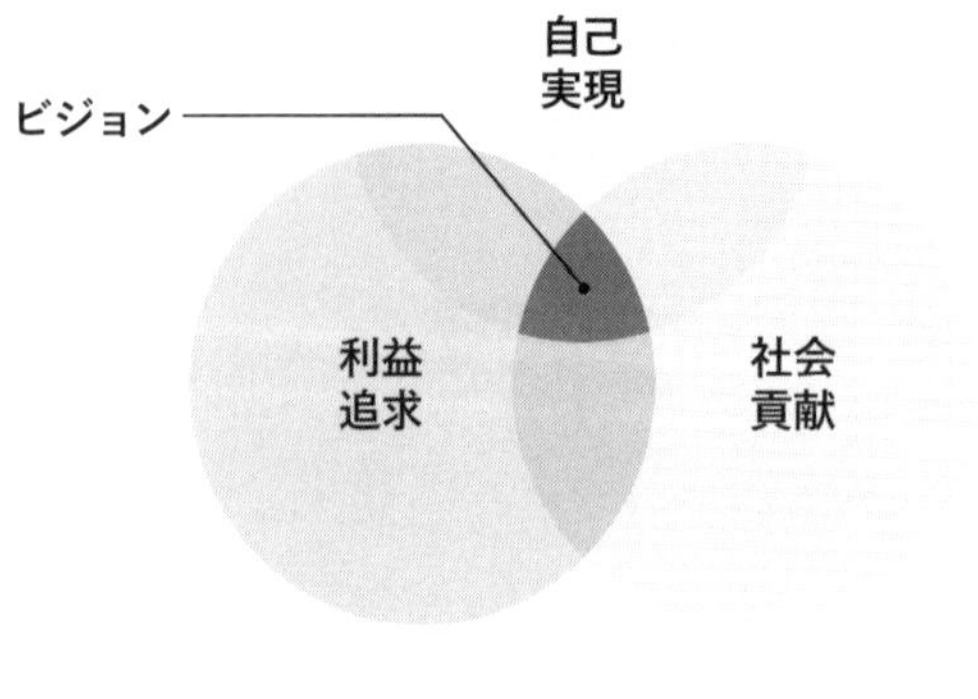

ができますが、答えはこれ。「**ビジョンを達成するための組織集団**」です。

中期経営計画

中期経営計画とは何か?

中期経営計画は、「ビジョン」と「競争戦略」が、定量的にも定性的にも書かれているもの。「ビジョン+競争戦略(定性×定量)=中期経営計画」と表すことができます。研修で知識を詰め込みまくって、中期経営計画を形にすることが一つの目標です。そしてそれを常に、ブラッシュアップし続けたいと思っています。

アナザー・ジャパン・プロジェクトのビジョンとは?

中期経営計画の策定は、アナザー・ジャパンのビジョンを考えることから始まります。

最近、ビジョン、ミッション、パーパスが、ビジネスにおけるバズワードで、どの会社も示さないといけない雰囲気になってきていますが、機能しないと意味がありません。でも、あまり機能していないケースは珍しくなくて、社長の席の

中川政七商店は2007年から「日本の工芸を元気にする!」をビジョンとして掲げて企業活動を続けている。メインの製造小売事業に加え、日本各地の工芸メーカーのコンサルティングや産地支援を行うことで、独自のビジネスモデルを築いている。

中期経営計画＝
ビジョン＋競争戦略
（定性×定量）

アナザー・ジャパン・プロジェクトのビジョン

「日本の未来に灯りをともす」

地方＝日本
若者＝未来
教育＝灯りをともす

地方　若者　教育

Another Japan
アナザー・ジャパン

Now Japan
ナウ・ジャパン

東京　中高年

TOKYO TORCHプロジェクトのビジョン「日本を明るく元気にする」と、中川政七商店のビジョン「日本の工芸を元気にする！」を基に、両社でアナザー・ジャパン・プロジェクトを推進するに当たって共通のビジョンを設定した。

後ろに額装されて掲げられているだけということもあります。**これらの言葉は、社内の求心力になって事業の推進力になるまで、かみ砕かないといけません。**

アナザー・ジャパン・プロジェクト全体のビジョンは「日本の未来に灯りをともす」です（※右ページの注釈）。それを分解すると、「日本」は「地方の集合体」で、「未来」は「若者」、「灯り」は「教育」です。今の日本は、基本的には東京の中高年が中心の社会です。でも、在るべき姿はそうじゃないんじゃないか。別の在り方があるんじゃないか。今の日本をナウ・ジャパンだとすると、別のアナザー・ジャパンを探すべきなんじゃないか。そんな想いでこのプロジェクトを立ち上げました。

プロジェクトのミッション、バリュー

ビジョンは自分たちが目指すところで、ミッションはそのためにやるべきこと。**ビジョンに至るためのマイルストーンです**（※注釈）。

2027年度には「Torch Tower」が完成して、さらに大きなアナザー・ジャパンのショップをオープンする構想がありますが、まずは今回のアナザー・ジャパンが成功しないとその先はありません。アナザー・ジャパンを2～3年やって結果が出なければ、そこで終わりです。だから、プロジェクトのミッションはまず

ビジョンやミッション、パーパスなど、言葉の使い方にはさまざまな流派があり、言葉の定義も違う。中川政七商店では上記のように定義している。表面的な言葉遣いに踊らされることなく、自分たちで言葉を定義して使っていくことが重要。

は第1期店舗を成功させることです。

バリューは価値観です。アナザー・ジャパン・プロジェクトが目指すべき価値観を持つ人物像として、「**自ら知り、自ら決め、自ら立つ**」を掲げています。これは、アナザー・ジャパン・プロジェクトが始まる前、母校の帝塚山小学校へ講演に行ったときに考えた言葉でもあります。

母校で、小学生たちに何を話そうかと考えました。小学1年生から6年生を相手に、中川政七商店のビジネスのことを話しても伝わらないですよね。だから、赤と青のカードをみんなに見せて、「どっちかを選んで、裏面に〇が出たらみんなの勝ちね」というちょっとしたゲームをしました。「赤いカードは選ばないでもらいたいな」とか、いろいろ言って青いカードが選ばれるように誘導してから、「青いカードの裏は×でした」と言うと、小学生たちが「ずるい」ってなるんです。

次に、じゃあどっちでも自由に選んでいいよといって、×が書かれた赤いカードと青いカードと、こっそりと〇が書いてある白いカードを用意しました。すると、小学生は白いカードに気づかず、青いカードにも赤いカードにも×が書いてあるので、どっちを選んでも×が出て、「白いカードなんて知らなかった、ずるい」ってなるんです。

1回目は、自分で選べないから文句が出る。2回目は、白いカードの選択肢があることを知らなかったから納得できなくて、文句が出る。つまり、**自分が選べない状況にあると文句が出る**というわけです。

会社で文句を言いながら働いているのは、そういう状態だと思うんです。自分で決めて選んでいない。ほかに選択肢があるかもしれないと考えることもない。仕方なくここにいるという心持ちなので、仕事が楽しくなくて、文句を言ってしまう。みんなもいずれ就職すると思うけど、自分で選べないと、そうやってブツブツ言いながら働くことになってしまいます。

「命を取られるわけちゃうから」

みんなはお父さんとよく話をしますか？　僕はあまりしゃべらなかったけど、6年前に亡くなった父親の言葉で、記憶に残っているフレーズがあります。それが、「**別に命を取られるわけちゃうから**」。自分が2002年に中川政七商店に入って最初にやったことが、借入金の保証人の欄にサインすることでした。そのとき、当時社長だった父にそう言われたことを覚えています。

アナザー・ジャパンも、命を懸ける一歩手前の覚悟を持ってやってもらいたい。

それが失敗してもどうなっても、命を落とすわけではありません。最悪のケースになっても、命を取られるわけじゃないし、もちろん金銭的なリスクもないと考えると、ちょっと気楽になりませんか。

もう一つ記憶に残っているのが、「**常に選べる状況をつくれ**」です。これは、小学校5、6年生のときに言われました。将来、こういう道に進みたいと思っても、選べないこともある。だから、常にいろいろ考えて、準備しておいたほうがいいという意味のこの言葉もよく覚えています。

よくある言い訳として「知らなかったです」「やったことがないです」というものがあります。でも、知らないことは知ればいいし、やったことがないことはできるようになればいい。ここにいるみんなにも、個人として仕事にコミットするというマインドを持ってもらいたいです。そういう人でありたいと思うし、そういう人と仕事をしたい、そういう人に育ってほしいと思います。

自分のビジョンを言葉にする

これからみんなにやってもらう個人ワークのテーマは、「自分のビジョンとアナザー・ジャパン・プロジェクトのビジョンを重ね合わせる」です。自分のビジョンとアナザー・ジャパンのビジョンに重なり合う部分があるからこそ仕事にコミットできる。もともと、みんなはアナザー・ジャパン・プロジェクトのビジョンに共感したから参加していると思いますが、それをあらためて言葉にしてもらいたいです。

それでは、20文字、30文字くらいのワンセンテンスで、自分のビジョンを書いてください。10分間で考えたらそれをグループでシェアして、15分間ほどみんなで話してください。それを画用紙に書いてもらって、1人ずつ写真に撮りたいと思います。

個人のビジョンには時間軸みたいなものもあって、10年たったら変わることもあるし、具体的な場合と抽象的な場合もあります。そこに正解はありませんが、「これって何のためにやっているんだろう」と悩んだときに戻れる場所をつくっておきます。プロジェクトが進んで心が折れそうなとき、その言葉を読むと自分の中にまた活力が生まれます。考えただけでは3日もすると忘れてしまうので、言葉にして書き留めておきます。

ホッカイドウ・トウホクチーム

カントウチーム

チュウブチーム

キンキチーム

チュウゴク・シコクチーム

※都合により、セトラー2人は欠席

キュウシュウチーム

2章

競争戦略と戦術

〈この章のポイント〉

1. 会社の力＝ビジョン×競争戦略×組織能力。

2. 商売には競争戦略が必要。

3. 戦術は戦略を実現する手段。明確な主従関係がある。

4. 競争戦略をつくるアプローチは「現状分析」「マーケティング」「ブランディング」。

競争戦略、戦術とは何か？

学生が経営するだけでは売れない

みなさん、アナザー・ジャパンって何ですか？

カントウ　学生が主体で運営する全国47都道府県のセレクトショップです。

そうです。アナザー・ジャパンという小売事業は、「学生が経営する、地域産品を扱うセレクトショップ」です。これって、お客さんの視点ではどう感じますか？「へー、学生が経営するんだ」という少し温かい気持ちになるかもしれないけど、買いに行きたい感じは特にしないですよね。学生というと本気度が足りない気もするし、素人っぽさも感じます。これだけだと、絶対行きたいと思う店ではないですよね。

つまり、アナザー・ジャパンという店を開いて商品を並べるだけでは売れません。世の中には、コロナ禍と関係なく売れる店もあれば、売れない店もある。社会人がやったからといって売れるわけでもないですが、学生が経営しただけでは何も起こらないと思ってください。

では、どうやったら、売れる店、愛される店になれるか。それをビジネスっぽく言うと、「**競争戦略**」が必要です。競争というと、争わなくてもいいじゃないかとも思いますが、お客さんの財布の中にあるお金は一定で、使える時間も限られています。どこで、いくらお金を使えるかは有限で、ある意味では奪い合い。これは、小売業をやるうえで避けて通れない現実です。

勝てる会社、勝てない会社というものがあるとして、そもそも組織や会社の力とは何なのか。それって、何で決まるんでしょう。

ホクトウ　社員の能力だと思います。

それもありますね。ビジネスで一般的にいわれるのが、「競争戦略×組織能力」が会社の力。さらに、これは僕独自の考えですが、ここにビジョンを入れて、「**ビジョン**×**競争戦略**×**組織能力**」という掛け算が会社の力になります。

競争戦略は経営で、組織能力は現場で、その上にビジョンがある。これらは掛け算なので、どれか1つがゼロだといくら掛けてもゼロなわけで、3つそろわないと力は大きくなりません。

競争戦略はビジネスモデルと戦略

競争戦略をもうちょっと分解してみましょう。競争戦略は、「ビジネスモデル」と「戦略」でできています。組織能力は「戦術」と「戦闘」。戦術は「マネジメント」と「仕組み」で、戦闘は「個の力」と「組織文化」。これらが掛け算されて生まれるのが会社の力です。

これらをどうやって上げるか。アナザー・ジャパンでこのゼロイチをつくれるのは、1期生だけの特権です。もちろん、1期生がダメ過ぎて、2年目がまたゼロイチでやるという可能性はありますが、そうならないようにしてください。

戦略という言葉は、日常生活であまり使わないですよね。戦略って何ですか？

会社の力とは？

会社の力　＝　ビジョン　×　競争戦略　×　組織能力

チュウブ　戦術と対極的にあるもの。戦略が「何を優先するか」を決めることで、その実現手段が戦術なのかなと思います。

正解です。戦略は、何をやるか決めること。この言葉がどこからきているかというと、軍隊からです。軍隊は、負けると命を取られるので言うまでもなくシビアですよね。

戦略とは要するに、**何をやるかを決めるということ。逆にいえば、何をやらないかを決めることです。**

戦術は戦略を実現する手段

戦略を実現する手段が戦術です。ここには明確な主従関係があります。つまり、戦略がないままに、戦術のトライ・アンド・エラーをいくら繰り

会社の力を分解する

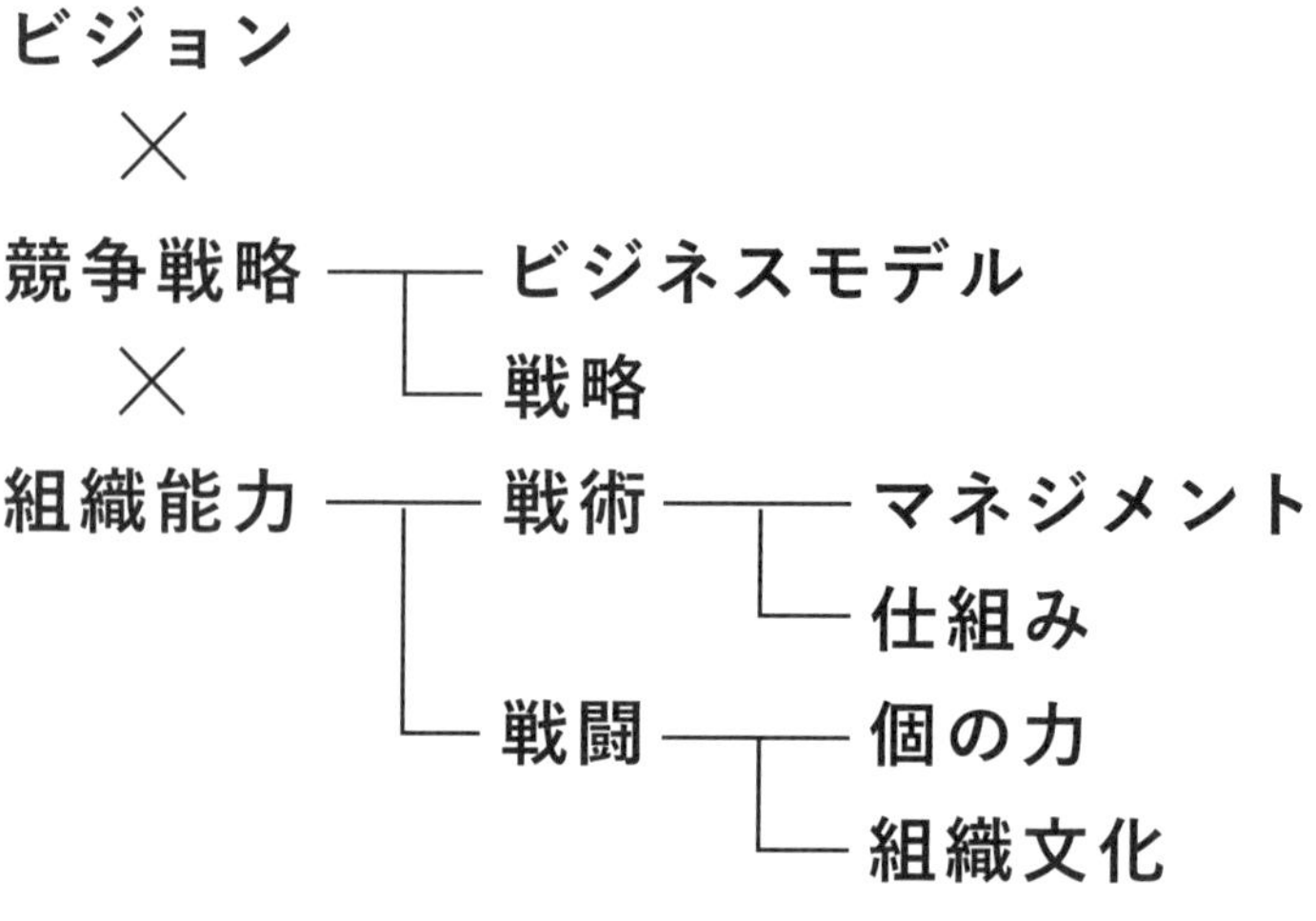

返しても、大きな成果にはつながりません。**戦略は戦術の上位概念であり、戦略がないのに戦術を考えても意味がありません。**常に上位概念から考えることが重要です。

戦術は、戦略を実現するための手段。この主従を常に意識しておいてください。特に開業が近づくにつれて、戦術に意識が向くと、つい、戦略を忘れてしまいます。

また、**戦略はコロコロ変えてはいけません。**だからこそ、戦略は丁寧に決定するべきです。反対に戦術は、状況に応じてフレキシブルに変えていけばいい。ダメな社長の典型は、「うちは全部やりまっせ」と戦略がないことです。

例えば僕らは「大日本市」(※注釈)という展示会をやっていますが、こういう展示会はほかにもたくさんあります。メーカーをやっていると、「販路をつくるためにとにかく全部の展示会に出せばいい」と考える人もいますが、そうではありません。世の中のどの展示会と自社がマッチするかを見極めて、マッチしないものはやらないと決めることが経営だと思います。

「大日本市」は中川政七商店が産地支援事業として取り組んでいる、工芸メーカー向けの合同展示会。70以上のブランドが出展する。

競争戦略をつくる3つのアプローチ

それでは、アナザー・ジャパンの競争戦略について考えてもらいます。でも、いきなり出てこないよね。競争戦略を考えるときの肝は3つのアプローチです。日々、コンサルティングをする中で、戦略立案につまずいている人たちを見ていると、この3つの視点で考えればいいと気づきました。

競争戦略をつくる3つのアプローチは、「現状分析」「マーケティング」「ブランディング」です。これをきちんとやっていくと競争戦略が完成します。

3つのアプローチは、料理に例えることができます。現状分析とマーケティングは下ごしらえ。ブランディングは、下ごしらえした材料を料理に仕上げることです。それが、おいしい、おいしくないにつながります。

僕は「**市場起点のマーケティング**」と「**自分起点のブランディング**」と定義しています。どちらかというと、世の中で王道なのはマーケティングです。特に大手企業はマーケティングをちゃんとやるのが得意です。でも、だからといってビジネスで勝てるわけではありません。大きな予算を付けて、下ごしらえを丁寧にやるんだけど、下ごしらえしただけで料理になっていないことがある。きれいで分厚いドキュメントをつくった状態で放置しているようなものです。

一方、ブランディングを重視する人たちは、下ごしらえをやらずにいきなり料理してしまいます。つまり、ブランディングを信奉している人たちはマーケティングをやらないからうまくいかないし、逆もまたしかりです。中川政七商店は、当然、両方やっています。マーケティングとブランディングの両輪を、順番を間違えずに回すことが大事です。

この3つの視点のフレームワークを用意したので、それに沿って、アナザー・ジャパンという小売事業について考えてみてください。現状分析をして、マーケティングをして、ブランディングをしていけば、いいショップができると思います。しかし、学校のテストのように答えがあるもので

競争戦略＝商売を考えるための
3つのアプローチ

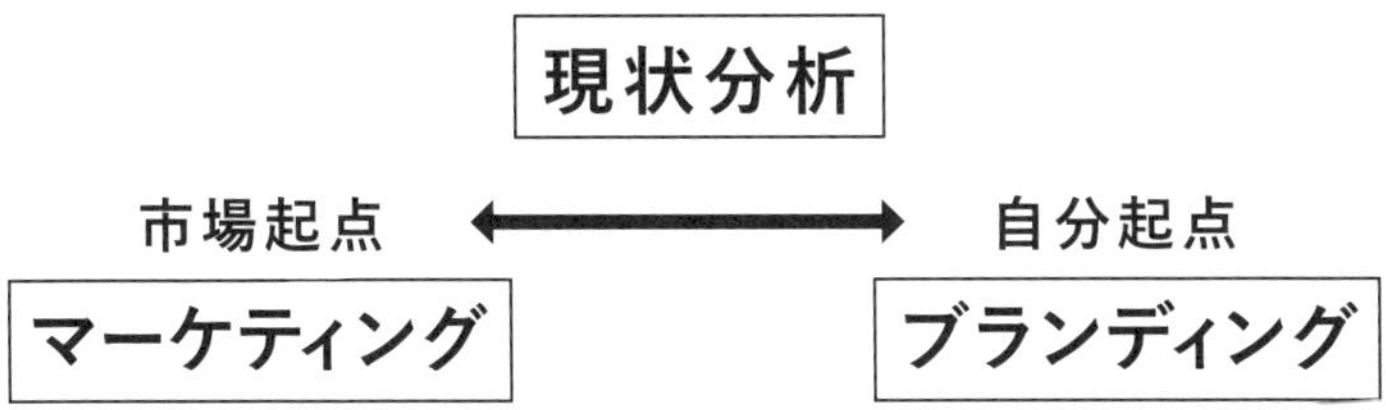

はないので、正しく論理的にやることが目的になってはいけません。

　こういうプロセスの中で、どこかに勝てるポイントを見つけないといけません。下ごしらえ中や料理中にも、どこに競争戦略を見いだせるかを忘れないようにしてください。

　下ごしらえはロジカルにして、ロジカルだけでは届かない部分をブランディングで探していかないと勝てません。**あらゆるフェーズで、自分たちの「勝ち筋」を探し出すこと**。単なる分析で終わらないように、何のための分析、検討かを常に意識してください。

3章

3つの現状分析

〈この章のポイント〉

1. 経営者は決算書を読めなくてはならない。
2. 事業の損益分岐点を把握することが重要。
3. 3Cは競合の捉え方で差が出る。
4. SWOT分析は、まずは「手の届く」強みと弱みに注目。

現状分析（収支）

会社のお金（収支）を分析する

アナザー・ジャパンは、最終的に利益を出さないといけません。みんな、会社のお金の話を知らないと思うので、このタイミングで会社のお金の話をしておきます。

会社のあらゆる活動は、すべて数字＝決算書で表現されます。学業も成績表に表れているよね。さて、決算書には何が書いてあるか知っていますか？

ホクトウ　収入と支出。その内訳が書いてあります。

決算書は主に3つの内容でできています。収入と支出が書いてあるのは損益計算書。あと2つ、分かる人？

チュウシコク　あとの2つは貸借対照表とキャッシュフロー計算書。経営学の授業を取っていたので分かりました。

そうですね。貸借対照表（B／S）はこれまでの収益の積み重ねで、損益計算書（P／L）は1年間の経営成績の結果です。キャッシュフロー計算書（C／F）は、1年間のお金の出入りを示しています。

損益計算書とキャッシュフロー計算書はどちらもお金の出入りを示すものですが、実際のお金の動きだけを追ったのがキャッシュフロー計算書です。キャッシュカードで買い物をすると、支払いは1カ月先になるじゃないですか。あれをイメージしてみてください。キャッシュフロー計算書は、今の段階では、そういうものがあると把握しておいてもらえればOKです。アナザー・ジャパンでは損益計算書に絞って説明していきます（※注釈）。

損益計算書には、収入と支出が書いてあります。簡単に言うと、「売り上げ－原価－販売管理費＝営

計算書の3つの要素

貸借対照表（B/S）

損益計算書（P/L）

キャッシュフロー計算書（C/F）

スモールビジネスや中小企業の経営では、まずは損益計算書に注目し、営業利益の改善を優先することをコンサルティングなどで推奨している。もちろん、キャッシュフロー計算書や貸借対照表の理解も重要であるが、誌面の都合上割愛したい。関連書を読むことを推奨する。

業利益」です。お店でコーヒーを売ったとして、売り上げが１０００円、原価が２００円、販売管理費は店舗の家賃やスタッフの人件費、光熱費などの経費です。それらを引いて、残ったのが営業利益というわけです。利益にも、営業利益や経常利益、税引き前利益、純利益などがありますが、まずは営業利益を意識しておいてください。
　たくさん数字が並んでいますが、この４つだけ見ておけばその企業がどういう状況か、だいたい分かります。それでは、アナザー・ジャパンで利益を出すにはどうしたらいいですか？

カントウ　売り上げを大きくして、原価、販売管理費を小さくする。

　そうですね。ぜひ、そうしてもらえるようにお

利益を出すには？

売り上げ↑ − 原価↓ − 販売管理費↓ ＝ 営業利益

願いします。店舗経営は、シンプルです。1年間の結果がシンプルに表れる。そう考えると、一人暮らしの家計簿と変わらないレベルです。

固定費・変動費とは？

さっき挙げた項目の中で最も分かりにくいのが、販売管理費です。項目はいろいろありますが、重要な分類は1つで、それが**固定費と変動費**という分け方です。では、固定費と変動費って何でしょうか。例えば、中川政七商店ではスタッフを雇用していますこれはどっちでしょう？

チュウブ　固定費ですか？　でもアルバイトの人件費は変動しそうです。

売り上げに連動する費用が変動費、連動しないのが固定費です。つまりフルタイムの社員の人件費は固定費だし、繁忙期だけのパートタイムの方の人件費は変動費ですね。事業の特性によって、自分たちで分類する必要があります。

例えば、通信販売業を営んでいたとして、人件費は固定化しやすいですね。では送料はどうか。商品が100個売れたら100個分の配送料がかかるし、1個なら1個分でいいので、変動費でよさそうです。

このように販売管理費のすべての項目を、基本的には固定費か変動費のどちらかに分ける必要があります。なぜ分けるかというと、それは、次の話につながっていきます。

では、このスライド（下図）に書いてあるお金を、固定費と変動費に分けてください。

キンキ　固定費が人件費、家賃。変動費が水道光熱費と運送費と出張費です。

ですね。ただし今回、アナザー・ジャパンの家賃は変動費です。家賃は普通、固定費ですが、今回は取り決めの中で変動費としてあります。売り上げに応じて変動するほうがリスクは低いです。

アナザー・ジャパンの販売管理費としては、人

Q：これは固定費？ 変動費？

人件費　水道光熱費　家賃

運送費　出張費

件費92万円を入れた固定費が約２００万円。それ以外は変動費です。

損益分岐点売り上げとは?

固定費・変動費が分かると、**損益分岐点売り上げ**を考えることができます。損益分岐点売り上げを出しておくことで、適切な予算設定を行うことができるようになります。

例えばこの会社の損益分岐点はいくらでしょうか? 売り上げ１００万円。原価が30万円で、販管費の変動費が20万円、固定費が70万円です。営業利益はマイナス20万円で、今のところ赤字です。この会社の損益分岐点を出してください。原価も変動費ですよ。

全国のいろいろなところでコンサルティングをして、損益分岐点の話が出てきて、およそ7割の社

損益分岐点分析

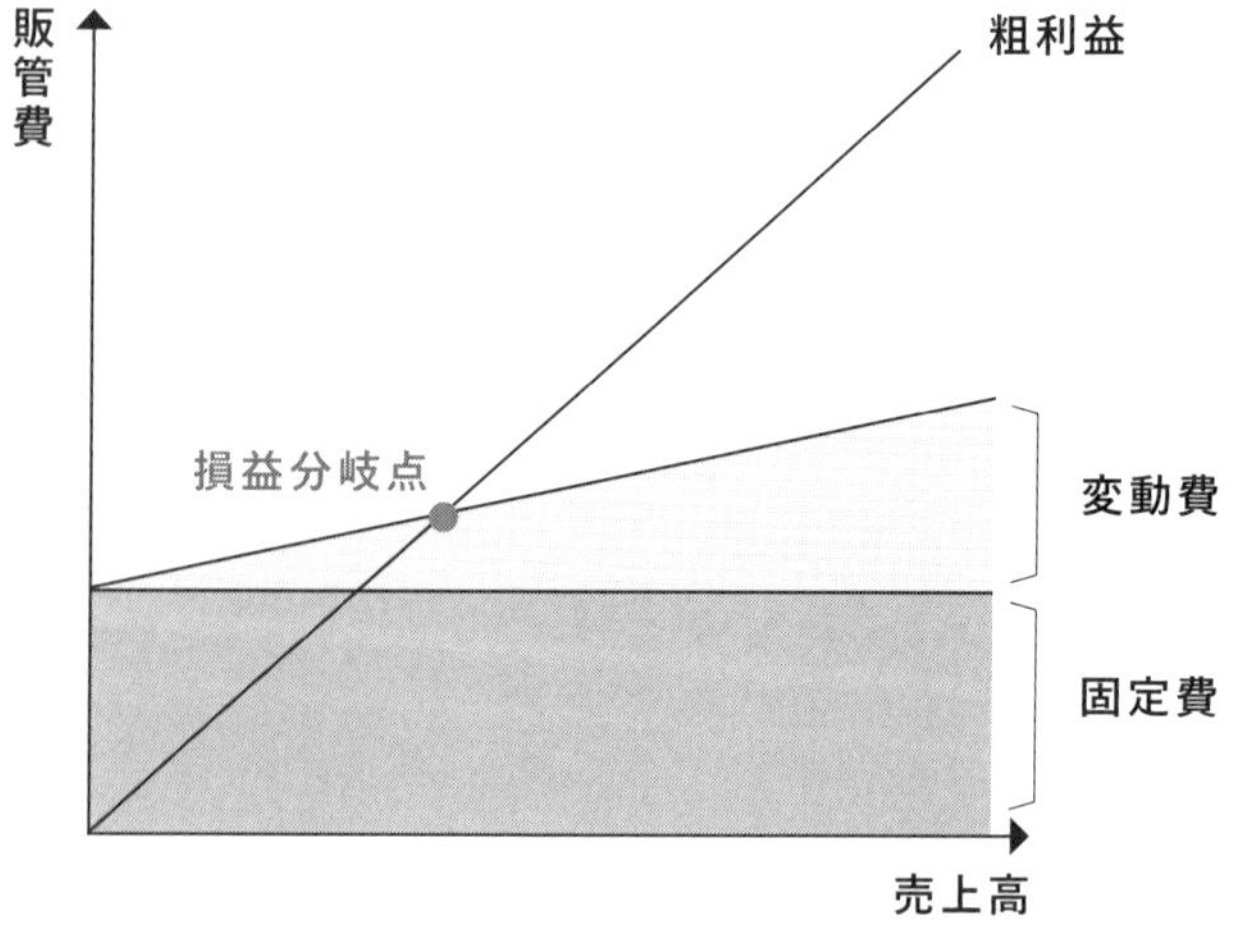

長が、この計算を理解できない。なのに、社長をやっています。無免許運転みたいなものですよね。

正解は、140万円です。売り上げが100万円で、固定費が70万円。70万円と変動費がいくらだと、トントンになるか。50％と70万円がひも付くといいので、70万円÷0.5で140万円（次ページの図参照）。これ、短い時間でやっているけど、ウェブなんかで固定費・変動費を調べてゆっくりと理解してください。これで損益分岐点の出し方が分かりました。

原価率とは？

さっきの問題では原価率30％となっていましたが、原価率はどうやって決まるのか。例えば、スーパーは原価率が高くて70～80％くらいです。それに対して、ラグジュアリーブランドは20％いか

Q：この会社の損益分岐点は？

単位：万円

売り上げ		100
原価		30
販管費	変動費	20
	固定費	70
営業利益		－20

ないくらい。どっちのほうがいいですか。

販売価格のことを仕事っぽく言うと「上代《じょうだい》」です。上代に対して、仕入れ価格のことを「下代《げだい》」といいます。アナザー・ジャパンはセレクトショップなので、自分たちではものをつくらない。だから、600円で仕入れてきたものを1000円で売ると、1000円が上代で600円が下代です。この600円がアナザー・ジャパンにおける原価です。原価率60％、または掛け率60％で仕入れる、と表現できます。

全体の原価率はどうやって決まるかというと、A社、B社、C社から仕入れるとして、平均の掛け率が全体の原価率です。掛け率は、売る商品で変わります。一般的に食品は70％、雑貨などは60％程度といわれています。仕入れ先の企業ごとに異なって、例えば、商品をたくさん仕入れる代わりに掛け率

A：140万円

単位：万円

			比率
売り上げ		100	100％
原価		30	30％
販管費	変動費	20	20％
	固定費	70	50％
営業利益		−20	

70 ÷ 0.5（50％）＝ 140

を下げていただく、ということもあり得ます。

それでは、アナザー・ジャパンの原価率を考えます。商品が食品だけなら70％だし、食品と非食品が半々だと65％。食品を3割に抑えて、それ以外が7割という比率で仕入れると、原価率は63％程度です。これよりももう少し抑えられるのが理想ですね。2カ月限定出品という催事スタイルである点や学生の教育プログラムを兼ねている点をご理解いただき、PRに力を入れるなどのメリットをしっかり提示し、相場よりは少し低い掛け率でご協力いただけるメーカーさんを増やしていく努力をしましょう。なので、原価率の目標は仮に60％としましょう。

固定費を計算すると200万円程度でした。原価率をそのまま変動比率と捉えれば（※次ページの注釈）、200万円÷（1－0.6）＝500万円がお

アナザー・ジャパンの損益分岐点売り上げ

500万円

単位：百万円

売り上げ		500
原価率（目標）		60%
販管費	全て固定費とみなす	200
営業利益		0

200 ÷ 0.4（100％ − 60％）＝ 500

およその損益分岐点。20坪で月500万円って、まあまあハードルは高いです。もっとリアリティーを持たせると、1日の売り上げが17万円。購入単価2000円なら、毎日、85人のお客さんにご購入いただくという計算です。

月の売り上げが2000万円必要なら不可能だと思うけど、月500万円はやれなくはない。いけるかなという感覚もあるし、でも普通にやったら難しい数字であることも確かです。

でも、普通にやったらできないことをやるのが仕事です。それも含めて、学生のみなさんに本当に経営をしてもらうということに挑戦してもらいます。本当に全部任せるので、どうやって売り上げを上げるか、どうやって原価を下げて、販売管理費を下げるか、自分たちで考えて決めてください。

現状分析（3C）

フレームワークとは何か？

いよいよ、現状分析に入ります。ビジネスにおける思考・分析のツールをフレームワークといいます。さまざまなケースに用いることができるように体系化さ

販管費を固定費・変動費に分解することは重要だが、すべてを正確に分けるのも難しい。事業フェーズや業種にもよるが、事業がまだ小さいうちは「原価＝変動費、販売管理費＝固定費」と割り切り、おおよその損益分岐点を把握するだけでも有益である。

れた思考の枠組みです。数学の公式や方程式みたいなもので、それを知らなかったら問題を解くのにものすごい時間がかかるけど、知っていれば一瞬で解けるというものです。フレームワークがないままに挑むとなんだか分からないことでも、適切なフレームワークを当てることができれば、かみ砕いて理解しやすくなります。

これから、アナザー・ジャパンにいろいろなフレームワークを当てていって、1つのストーリーに仕上げます。現状分析では、「3C」と「SWOT分析」、マーケティングのフレームワークは、「4P」と「STP分析」と「AISAS」を使います。ブランディングには、コンテンツの3つの要素、「ブランドの組み立て」「ポジショニング」「コンテンツの3レイヤー」、コミュニケーションの2つの要素、「ビークルの整理」「コミュニケーション設計」があります。

3グループに分かれてワークショップをして、結果を発表してもらいます。そうやって、「このチームが一番いいかな」というところで終わるのはインターンでも経験できます。でも、みんなは、これを使って商売をして、勝たないといけない。これこそが、インターンと違うところです。

フレームワークに当てはめていく中で整合性を取りながら、18人が、「よし、これで行こう」と思えるものをつくり上げるのが重要です。筋が悪いアイデアはカットしますが、自分のアイデアが採用されなくても、そこでいちいちへこまないでください。1つのショップをつくっていく中で、自分がどう貢献できるかという意識で取り組んでもらいたいです。

みんなの意見を僕は評価まではしますが、手は出さないようにします。そこを越えてしまうと、僕が経営していることになってしまうので。もし熱くなって越えそうだったら、「黙ってろ」と言ってください（笑）。

3Cとは何か？

現状分析のメジャーなフレームワークが、3CとSWOT分析です。まずは3Cから入ります。

3CのCって何ですか？

さまざまなフレームワーク

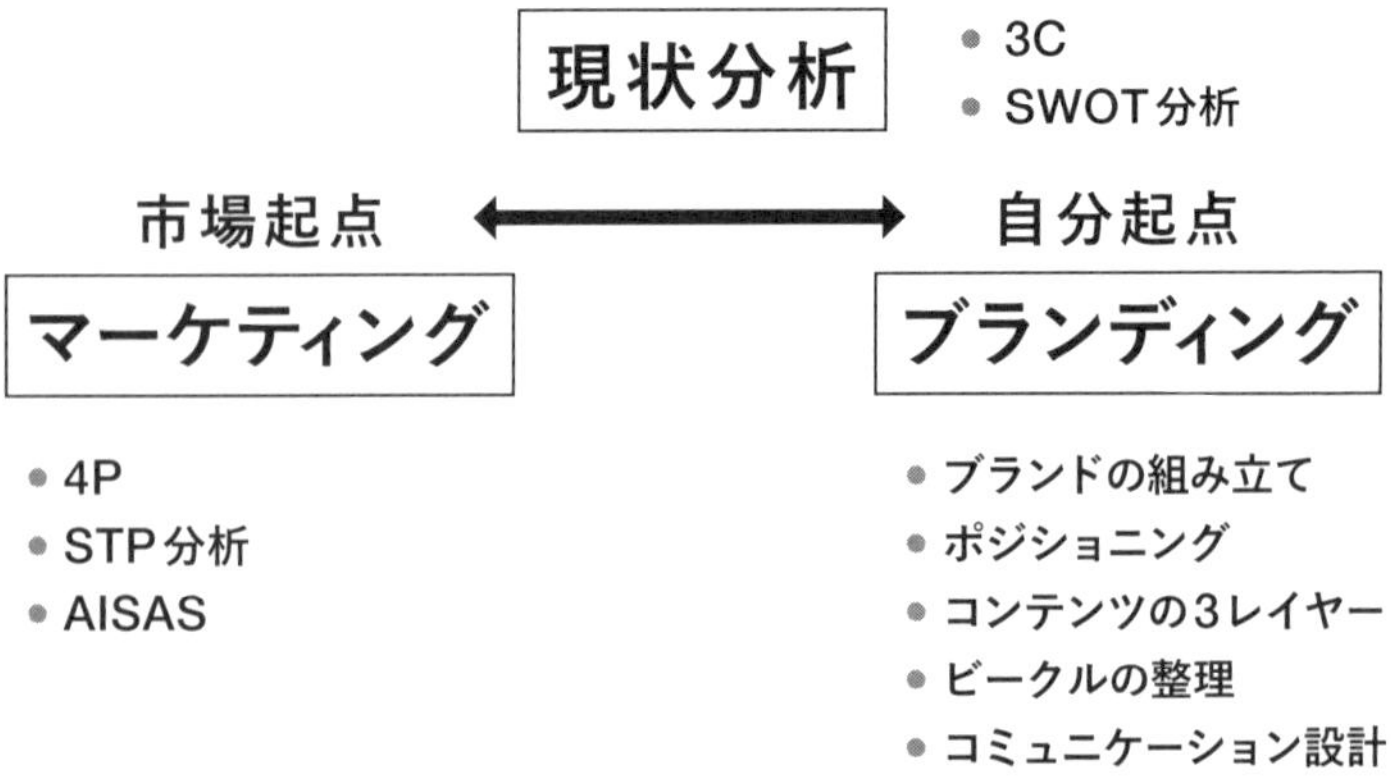

カントウ　「カスタマー」です。

　1つは正解です。3Cとは、「カスタマー」「コンペティター」「カンパニー」です。つまり、この3つの視点から現状を分析していくフレームワークです。

　カスタマーはとりあえず置いておいて、コンペティターとカンパニーについて考えてみましょう。「ディズニーリゾート」の競合はどこだと思いますか？

チュウブ　「ユニバーサル・スタジオ・ジャパン」です。

　そう思うよね。ある意味では正解だけど、でも、違うんです。ディズニーリゾートは関東圏のお客

3Cとは

Customer（顧客）

Competitor（競合）

Company（自社）

さんが圧倒的に多いらしい。関東からユニバーサル・スタジオ・ジャパンに行くには、かなり距離があります。ということは、この2つは類似業種ではあるものの、場所が離れているがためにあまり競合しない。だとしたら、競合はどこですかね？

キュウシュウ　「富士急ハイランド」。

テーマパーク以外はどうですか。ディズニーリゾートに行く予定だったけど、雨が降っていれば、代わりに映画でも行こうかなってことになるかもしれません。いろいろなお客さんがいて、いろいろな行動があります。

コンペティター＝競合を考えることは、自分たちが何者かを捉えることとほぼ同義です。「アナザー・ジャパンって何？」と聞かれれば、学生たちが運営する地域産品のセレクトショップですよね。では、アナザー・ジャパンの競合がどこになるか、業態に縛られず一度考えてみください。5分くらい考えて、各グループで発表してください。

それでは奥のテーブルからお願いします。最初は、「ホクトウ・キンキ」チームです。

ホクトウ・キンキ　都道府県のアンテナショップが競合になると思いました。あとは、百貨店の地域物産コーナー。学生が経営しているショップや、ふらっとなんとなく入るような雑貨店。「無印良品」とかも競合の候補になると思います。

続いて、「カントウ・チュウシコク」チーム。

カントウ・チュウシコク　私たちは地域産品に着目しました。百貨店の北海道物産店とか、東京駅の地下やアンテナショップ。工芸品だと浅草にあるお店や、プレゼントを買うときには「中川政七商店」があります。ふらっと訪れて時間をつぶす場所としては、美術館、博物館、展示会。周辺店舗も競合と考えないといけないと思いました。

ありがとうございます。今のところ、アナザー・ジャパンの隣に中川政七商店は出店しませんが、もし出るとなると状況が大きく変わりますよね。最後は「チュウブ・キュウシュウ」チームお願いします。

チュウブ・キュウシュウ　私たちは6つに分類してみました。時間つぶしや、ふらっと立ち寄れるような店。地方のものが買えるアンテナショップ。地方に本店があるショップの東京支店。あとは、アナザー・ジャパンに足を運ばなくても商品が買えるところだと、コンビニやECサイトもあります。クラウドファンディングをやるとしたら、ほかの学生経営の会社も競合になるかもしれません。「地元を応援したい層」に対しては、地元のスポーツチームも競合になるかもしれないというところまで抽象化して話が進みました。

競合を見つけ出せ

全チーム、いい考察だと思います。普通のインターンシップだと、こういうワークショップをして、幾つか候補が出たらOKですが、アナザー・ジャパンだと、これを有益な情報に変えていく必要があります。3チームのアイデアを全部足すと、7~8個になります。3チームのアイデアを合体させた中から、競合として濃厚な線を2つくらいに絞り込みたいです。

理屈上は競合だけど、自分たちがどうありたいかまでを踏まえて、メインとしてどのあたりを競合として意識すべきかを考えてもらいたいです。例えば学生が経営する店がほかにあっても、東京の東エリアにはその店舗がないとなったら競合として考えなくてもいいですよね。具体を挙げつつ、距離感というか、場所的な視点で競合として捉えるかを考えることも必要かなと思います。

みんなから挙がってこなかった、「ビームス ジャパン」や「d 47」も競合だと思います。もし知らなかったら、一度実際に見てみたほうがいい。見て感じるのが何より大切です。具体名が挙がったら足を運んで、こういう店があるんだなって感じてきてください。

商売で一番いいのは、競合がいない状態です。大きな視点で見ると、競合がいないわけはないいんだけど、細かく見ていくとほかの誰とも違う店ということです。そのためには、**自分たちが何者かという定義やルールを変えることが大切**です。中川政七商店も、小売りという意味では幾つも競合がありますが、中川政七商店の競争戦略の上にはビジョンがあって、仕入れ先のコンサルティングまでもやる。工芸を扱う生活雑貨店は多いけど、根本的な成り立ち、ビジネスモデルが違います。それが、お客さんまで伝わる場合と伝わらない場合がありますが、そこが伝われればほかの誰とも違うということになる。すると、いいファンやお客さんに応援していただけます。

この段階で結論を出し過ぎず、生煮えの気持ち悪い状態で考えることを繰り返します。これをためておいて、**材料が出そろった段階でぎゅっと統合します**（※注釈）。いいアイデアや着眼点は机に向かって座っていても出てこないので、外に出て、いろんなものを見ながら考えるのがいいと思います。

現状分析（SWOT分析）

SWOT分析とは何か?

SWOT分析は左図の通りです。内部環境のプラスマイナス、外部環境のプラスマイナスの2×2で考えます。強みは、他者と比べて優れている点。「比べて」が大切で、弱みも一緒ですね。機会と脅威は外部の話で、ポジティブな外部環境、不利に働く外部環境が何かってことです。

この分析を、アナザー・ジャパンでやってみます。どちらかというと、強みと弱みに重きを置きます。外部環境は知っておくけど、そこから何かが生まれるわけじゃないので、強みと弱みに重点を置きながら整理してもらいたいと思います。

では、分析結果を、代表してチュウブ・キュウシュウチームが発表してください。

※注釈: 2〜8章の議論の結論は、8章末にまとめて掲載した。

チュウブ・キュウシュウ　強みは、東京駅が近いということ、フロンティアスピリットと郷土愛があるところ。普通なら経営と販売する人は違いますが、仕入れから販売までやるからこそ、現場とつながっている。お客さんに発信する力が強いと思います。ショップの中身が２カ月ごとに変わるので、それが弱みにもなるし、強みにもなります。ほかには、中川政七商店と三菱地所のコラボなので、注目度が高い。

弱みは、期間が２カ月しかないこと。経営スキルなどが少ない。商品に対する知識も足りないと思います。知名度の低さゆえ、顧客が入りにくい。

機会に関しては、地方創生が注目されているので、いいチャンス。コロナ禍は脅威ですが、故郷に対する思いが高まっている人がいて、憩いの場になっていいかも。若い人を応援する文化も盛り

SWOT分析

	内部環境 ≒Company	外部環境 ≒Competitor,Customer
プラス要因	【強み】Strength ・他社と比べて優れている点 ・競合他社に勝てる点 ・自社の得意なところ	【機会】Opportunity ・自社にとって有利な市場変化 ・可能性のある外部環境 ・追い風となりそうな概況
マイナス要因	【弱み】Weakness ・他社と比べて優れている点 ・競合他社に勝てる点 ・自社の得意なところ	【脅威】Threat ・自社にとって不利な市場変化 ・ライバルの存在 ・自社の負担が増えそうな概況

上がっているので、そこもいい点かと思います。

脅威としてはニッチな専門店が増えていて、競合が多いというのもあります。専門店ブームがあって、いろんなものがある総合的なショップだと、売れにくいのかなって話をしました。以上です。


左ページの図に、強みの中で筋がよさそうだと思うところに◎を付けました。△を付けたのは「郷土愛とフロンティアスピリット」。確かにフロンティアスピリットはあると思うけど、それを何に置き換えたら強みといえるでしょうか。**それがどう表現されたら商売上の強みになるか**を考えてみてください。

自分たちが仕入れてきて、実際に企画展までやるということになると、強みとして生きてきますよね。強みの種が花を咲かせるまで、育ててもらいたいです。それを、ちゃんとお店としての強みに昇華させてほしい。仕入れから販売までつながっているのは、よい気づきと思いました。

ほかに発表したいチームはありますか?

カントウ・チュウシコク　私たちにも発表させてください。強み、弱みを「ハード

チュウブ・キュウシュウのSWOT分析

	内部環境	外部環境
プラス要因	【強み】 ● 東京駅が最寄りの立地・アクセス ● 郷土愛とフロンティアスピリットがある（△） ● 仕入れから販売まで全部自分たちでするから現場とつながった経営ができる（◎） ● 地域のショップがバトンをつなぐため顧客を飽きさせない店舗になる（◎） ● 次の地域に失敗経験を引き継ぐため経営の成長率が高い ● 三菱地所と中川政七商店の協働事業のため社会的な注目度が高い	【機会】 ● 地方創生の機運 ● コロナで帰省できない人たちの憩いの場に ● 若い人たちを応援する文化の成熟
マイナス要因	【弱み】 ● 経営経験・専門スキルやノウハウがない ● 期間限定であるため2カ月しか販売期間がない ➡リピートしにくい ● 最初のほうの地域は準備期間が短い ● 知名度の低さゆえに顧客が入りにくい	【脅威】 ● コロナウイルスで客数減少 ● ニッチな専門店が増えてきている

面」「ソフト面」に分けて考えました。ハード面は、店舗デザインに親近感があるのが強みで、大きな店ではない点とフラッと立ち寄れる立地ではないのが弱みかなと思います。ソフト面は、47都道府県の特産品を、2カ月ごとに特集地域を変えながら扱えるのが強みだと思いました。各地域に詳しいメンバーがいるのも強みにできそうです。

しかし、メーカーさんとまだ関係性がなかったり、最初は信頼度が低いのが弱みだと思います。ほかに「話題性」という面では、学生だけでやっているのは注目してもらえそうですが、知名度は当然低いです。「学生経営」であることは今のところ弱みになりそうで、学生であることの時間的な制約がありますし、経営の知識や経験が足りないです。

機会としては、コロナ禍で「海外に行けないからこそ地方熱が高まっている」と感じていて、そのタイミングを生かして注目してもらえるとよさそうです。一方で、コロナ禍やウクライナ侵攻で、インフレや物価高騰が起きていて、不景気になるのは脅威だと思います。

発表ありがとう。まず内容の前に、強みと弱みが、ハードとソフトに分けられていて、構造的に見ようとしているところがいいですよね。このように**構造化していくことは重要**なので今後も常に意識してください。

手の届くところ、届かないところ

内容へのフィードバックですが、**自分たちの手の届くところ、届かないところを考えてみましょう**。機会と脅威のところは、手が届かない。なので、基本的には考えても仕方がない。コロナ禍の状況で海外の人々が来ることができないと考えると、海外の人をメインターゲットにする選択肢はしばらくはないですよね。

一方で、強み、弱みが大切で、これらは表裏一体です。カントウ・チュウシコクチームは、弱みに2カ月で入れ替わるという点を挙げているけど、ほかのチームではそれを強みだと考えている。弱みを逆手にとって生かすことがポイントになります。生かしたほうがいいだろうなという強みは、2カ月ということと、仕入れに現地に行く人たちがいて、店頭に立つという点です。

判断が難しいのは、学生がやっているということですね。これは、種としては強みになる可能性があるけれど、どのようにして花を咲かせるかは、もっと考える必要があると思います。強みは、結局相手と比べての強みです。

外部環境
【機会】Opportunity ・地方に行けない ・巣ごもり期間の反動消費 ・海外に行けないからこその地方熱 話題性 ・メディア出演の多さ ・0から1をつくる（可変性）
【脅威】Threat 新型コロナウイルス感染症の拡大 ・店舗に来にくい ロシアのウクライナ侵攻 ・インフレ ・石油価格の上昇 工芸品素材の価格高騰化 地方産品のショップが近くに存在 ・百貨店 ・アンテナショップetc.

カントウ・チュウシコクのSWOT分析

	内部環境
プラス要因	【強み】Strength 店舗について（ハード） ● お店への親近感（お店の外観デザイン、全面ガラス張り） ● 店舗がきれい ● なじみやすい店舗の大きさ 店舗について（ソフト） ● 47都道府県すべての産品を1カ所で扱う ● 良質なプロダクトの提供 ● 立地のよさ＝駅からのアクセスがいい ● 時期ごと（2カ月ごと）に特定の地方の特産品を扱っている ● 各地域に詳しいセトラーが担当している 話題性 ● 若者メンバーで構成されている ● アプローチできる層が若者が多くなる（ほかの伝統産品ショップは40代以上がメイン）
マイナス要因	【弱み】Weakness 店舗について（ハード） ● 店舗が大きくはない ● 立地的にフラッと立ち寄れる場所ではない 店舗について（ソフト） ● メーカーさんとの関係性が希薄orない ● 信頼度の低さ 話題性 ● 知名度が低い ● ブランド力がない 学生経営：ここから考えなければいけない ● 本当の意味でのファンづくりは難しい→リピート数少ないかも？ ● 単体での発信力がない ● 学生であることによる時間的制約 ● 知識、経験不足

お客さんの話でもありますが、大手町の近辺には多くの方が働いていて、しかも平均所得が世の中の平均よりも高い人が多いと思います。そういう人たちとコミュニケーションできれば強みになりそうです。

今、3CとSWOTというフレームを当てただけでも、可能性がありそうな種が見えてきました。アイデアを絞り込む段階での手がかりですが、人に話したときに、「おもしろそう」となったら筋がいいし、「ふーん」ってなったらよくないと思ってください。誰かに対して何回もストーリーを話していると、「この要素が足りないんだな」「いいストーリーになっていないんだな」と確認できます。だから、誰かと一緒にご飯を食べるときなどに、いろんな人にしゃべってみてください。「それいいね」となったら筋がいい。それの繰り返しで、それがいい下ごしらえになります。

4章

マーケティング

〈この章のポイント〉

1. フレームワークは「4P」「STP分析」「AISAS」。
2. 4Pを考える際は、選択肢を洗い出して構造化し、判断基準を設けて、優先順位を付けていくことが重要。
3. セグメンテーションは「ビジネス視点」、ポジショニングは「顧客視点」。
4. AISASというフレームワークを通じて、「消費者はどんどん認識変容する」と捉えることが大事。

マーケティングのフレームワーク

4Pとは何か?

さて、下ごしらえの2つ目のアプローチが、マーケティングのフレームワークです。メジャーなフレームワークは3つあって、4PとSTP分析、AISASです。

マーケティングは市場調査のことだという誤解もありますが、正しくは、**継続的に商品が売れる仕組みをつくること**。市場起点で分析した先に必ずゴールがあるわけではありません。マーケティングを駆使する大手企業が成功するかというとそうでもないのは、このためです。だから、最終的には自分たちの起点でどう在りたいかというブランディングが大事です。でも、まずは下ごしらえとしてマーケティングに取り組みましょう。

まずは4Pです。4Pが何か、分かる人はいますか?

チュウシコク　「プロダクト」「プライス」「プレース」「プロモーション」の4つです。

「商品」「価格」「流通」「販促」ですね。これはつまり、商売を考えるときにこの4つは必ず考えましょうねという初歩の初歩です。流通のことを考えずに商売を始めちゃダメですよということです。でも、こういうのを考えない大人はいっぱいいます。

4Pのプライス

最初にプライスについて。ここでみんなに聞いておきたいですが、可能性の一つとして、アナザー・ジャパンの商品でラグジュアリーな商品を扱うことって、あり得ると思いますか。購入単価が3万円っていう世界はあるのでしょうか?

キュウシュウ　例えば、体験型商品はあるかなと思います。九州の産地に行けるツアーという商品

4Pとは

Product（商品）
Price（価格）
Place（流通）
Promotion（販促）

です。

現地で何か体験するという企画を、商品として売るってことですよね。旅だと、例えば、有田に行って人間国宝の作家と一緒に絵付けして、往復と宿代を合わせて1人20万円というとラグジュアリーな感じはします。この段階で選択肢をつぶしておきたいんですけど、アナザー・ジャパンでラグジュアリーな価格帯をやる可能性ってありますか？

ホクトウ　着物を売るとすると、着物は優に3万円以上はするので、購入単価3万円はあり得ると思いました。

なるほど、着物ね。技術が詰まった工芸品とひとくちにいっても、土産物工芸もあれば、生活工芸もあるし、着物のような美術工芸もある。ほかにも、1粒3000円する梅干しとかもあって、ああいう商品を売るかどうかというのもありますね。

でも、相性の悪さというのはあります。商品知識はこれから詳しくはなればいいと思うものの、着物に詳しいその道のベテランから買うのと、学生から買うのとではやっぱりお客さんの感じ方が違いますよね。ラグジュアリーな価格帯と学生経営の相性は、よくないと思うんです。だから、価格帯に関してはあまり議論の余地がないかな。ラグジュアリーな商品は考えないことにして、4Pのプライスに関しては議論しなくてもいいと思っています。このように、確定できることを確定させていくことが大事です。

4Pのプロダクト

アナザー・ジャパンで扱うプロダクトって、どんなものがあるんだろうね。いくらでも思いつくと思いますが、それを構造的に整理してください。意識としては、商品としてありかなしか、ギリギリのものも挙げてください。産地の特徴がある工芸や食品は、当然売りますよね。それよりも、さっきの旅行商品ってありなのか。そういうものを挙げていって、構造的に整理してほしい。20分間で考えて、発表してください。

それでは、各チームの代表に発表をお願いします。

Product カントウ・チュウシコク案

体験型

- 体験コーナー
  ・陶芸体験、藍染め、赤べこづくり、写真・動画でのVR体験、
  試食コーナー
- 現地に行ったときの体験チケット
- 買った食べ物を併設のカフェで調理してもらえる
- 地元の方言でしゃべってくれるロボット

食べ物関連

- 一人暮らしも簡単に調理ができるレトルト食品
- 新鮮な食べ物（果物、魚、スイーツetc.）
- 全国津々浦々のビールが飲めるよ！
- 全国の給食を集めてみた！

プレゼント

- 新生活応援セット

アート作品

- 瀬戸内国際芸術祭での作品など

ご当地キャラグッズ

- 全地域のオリジナルキャラクターをつくる？
  AJくん（名前要検討）

カントウ・チュウシコク　「体験型」「食べ物関連」「プレゼント」「アート作品」「ご当地キャラグッズ」という5つに整理してみました。例えば、体験型商品としては、藍染めや赤べこづくり、動画でのVR（仮想現実）体験みたいなのができたら面白いと思います。食べ物関連では、ご当地学校給食は多くの人が思い入れがあって話題にしやすいと考えました。アート作品は、チュウシコクでは瀬戸内国際芸術祭があるので、そのグッズなども扱えたらうれしいです。ご当地キャラグッズは、アナザー・ジャパンでもキャラクターをつくりたいです。

体験アート、ご当地キャラという分類の仕方がちょっと変な感じがします。ほかとレイヤーがそろっていないと、全部並べたときに、つながるものもつながらない。ほかのチームはどうですか？

ホクトウ・キンキ　私たちは「工芸品」のほかに、「体験」「衣料品」「化粧品」「食品」「その他企画」で分けました。

「体験」は、お店でできることとして赤べこづくり体験を企画したり、自宅でも体験してもらえるようにキット販売ができたらいいなと思っています。現地に実

Product ホクトウ・キンキ案

工芸品

体験

- お店でできる地方体験
  ・赤べこづくり体験
- 自宅でできる地方体験
  ・キット（味噌づくり、家庭菜園など）
- 地方へ実際に行く体験（出身者だからこそ紹介できる場所や体験）
- 銘菓をカフェスペースで食べる体験（異地域コラボ）

衣料品

- 服
- 靴下
- アクセサリー

化粧品

- 株式会社MYSTAR（北海道・遠軽町）の化粧品
- 東京農業大学の学生開発の化粧品
- 洞窟のお水を使った化粧品

食品

- 生鮮食品（その場で会計だけして、商品は産地直送）
  ・スーパーに売っている地方商品
  ・銘菓
  ・加工品

その他（企画）

- 学生×学生
  ・近畿大学等の関西の大学とコラボ（近大マグロなど）
  ・東農大生開発の食品類（ジャム、日本酒）、化粧品類
- 付加価値
  ・SDGs
  ・インスタ映え
  ・丁寧な暮らし

際に行く体験を積んでもらえるように、店舗でチケットを売るといったこともしてみたいです。

化粧品で特に紹介したいものがあって、例えば私の地元である北海道に、アスパラガスや蜂蜜を使った化粧品があります。化粧品というと工業品のイメージがありますが、地域ならではの化粧品があることを知ってほしいです。

そのほか、18人のセトラーだけじゃなくて、地方の学生とつながって、大学が産学連携で作っているようなものを販売できたら面白そうです。

体験商品はあり得ますね。けど、整理はまだまだです。

情報を出すうえで大切なのが、**構造化、分類**です。頭の中でさまざまな商品が浮かんだときに、分類や構造がガチャガチャしていると、収まりが悪くて整理できない。足りないアイデアに気づくためにも、構造をきれいにすることが重要です。まだみんなのアウトプットには構造の整理にやや問題があるようです。僕がモノ・コト軸でまとめたプロダクト案を出しておきます。

具体例をたくさん出して、それを構造化して、もう1回具体をつくって、最終的にはすべて網羅して、「これやるの?」「やらないの?」「どういう視点があるの?」「らしいか?」「ビジョンにどうつながっているか?」「在庫リスクはどうか?」など、あらゆる角度から検討してみてください。本当に売れるかはとても大事な視点で、少なくとも自分が買いたいと思えるかどうか。ただし、今回は学生以外もターゲットなので、そこは柔軟に考えてください。インターンではなく本当の商売なので、売れ残ると大変です。本当に利益が出るかを常に考えてください。

一方で、売れるかどうかばかりを考えると小さく収まってしまいます。そこで、「こうやったら売れるんじゃないか」という売り方もセットで考えられるといいと思います。旅行商品のアイデアは面白いよね。でも、現時点ではジャストアイデアにすぎないので、商品にするにはまだまだ距離があります。

Product 中川案

モノ	コト
● 食品（賞味期限あり）	● ワークショップ
○ 地域性のあるもの ・冷凍 ・冷蔵 ・常温	● ツアー
○ 地域性のないもの	● ・・・
● 非食品	
○ 地域性のあるもの ・工芸 ・工業	
○ 地域性のないもの	

4Pのプレース

プレースとは流通のことで、これは、商品をどの流通チャネルで売っていくか。いろんな流通ルートを洗い出して、構造化してみます。そもそも、流通に関する知識が必要なので、具体を出して、整理して、構造化して、決めていくプロセスを僕がやってみます。それを見てもらって、思考法としてこういうプロセスをたどって、こういう着地をするんだというのを分かってもらいたいです。

まずは、商品を売る実店舗のことを考えますよね。ほかにも、ECがあるかもしれないし、店の外と中という分類もできる。店外って、ほかにもないのかな。常盤橋周辺のビルにいる人たちに売れるってことはないですか。ポップアップストアみたいなやり方もあるかもしれないし、もっと遠い、新宿の伊勢丹で販売するというのも理屈上はあるかもしれません。リアル、デジタルという分類もあるよね。Amazonや楽天市場もあるし、クラウドファンディングもある。デジタル、リアルという分け方と、店内、店外という分け方の両方が成立しそうだと考えていきます。

具体と抽象を行ったり来たりしながら、いろんな可能性を探りながら考えていきます。結果的に、「リアル／デジタル」「自社／他社」という2軸での整理が見えてきました。

さて、こういう構造が1つ見えてきたわけじゃないですか。インターンなら整理して終わりですが、みなさんは、実際にどの流通をやるかを決めないといけません。どこをやりますか。

チュウブ・チュウシコク 「リアル×自社」「リアル×他社」をやったほうがいいと思います。理由は、デジタルだと大手がけっこう挙がってきて、そこでインパクトを出すのが難しいと思ったからです。

競合が多いからやめておいたほうがいいということですよね。ほかには? 直感でいいです。これがいいと思ったところと、なぜいいと思ったかを教えてください。

カントウ・キュウシュウ 「リアル×自社」だと思いました。

それはそうだよね。店舗は絶対やる。そのほかの3つのうち、どれをやったほ

Placeを考える際の思考法のサンプル（中川案）

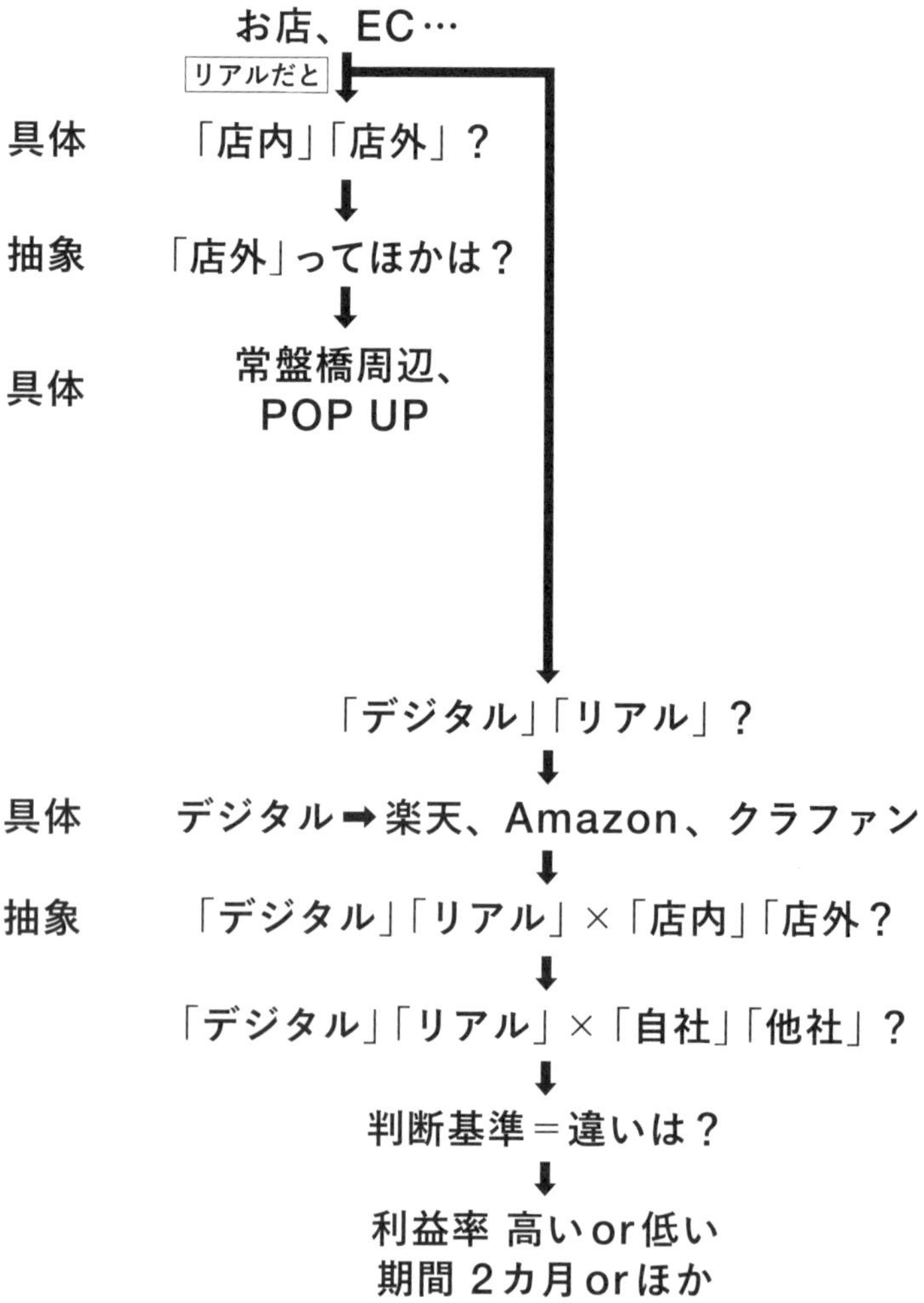

うがいいかを考えてください。

カントウ・キュウシュウ　「デジタル×他社」は、埋もれそうなのでやらないほうがいいと思います。

自社でも、ネットの世界では埋もれちゃうと思うけど大丈夫かな。

カントウ・キュウシュウ　でも、そこを全くやらないかというと……。悩みますね。

突然、決断ができないダメ社長の顔が出てきましたね。じゃあ、全部△にしとく？

カントウ・キュウシュウ　いえ、しっかり決めたいです。

選ぶには判断基準が必要ですよね。ここまでで、まだ出ていない観点が1つあります。それは、**利益率**です。自社の店舗も家賃はかかるけど、ポップアップストアを出すと、場所代を追加でお支払いしなくてはいけないわけですよね。3章で損益分岐点売り上げを500万円と計算しましたが、百貨店にポップアップストアを出すなら、損益分岐点はさらに上がります。ネットショップでも出店費用をお支払いするので、他社で売ると流通コストが高くなります。「自社／他社」、「リアル／デジタル」を利益率で見たら、当然、利益率が高いところ、低いところがあります。

期間という視点もありますよね。ポップアップストアは短期で、アナザー・ジャパンも短期。でもデジタルだと長く売れる。期間は、長いのと短いのどっちがいいんだろう。どっちがいいと思いますか？

チュウブ・チュウシコク　長いほうがいいと思います。

Place　中川案

	リアル	デジタル
自社	常盤橋エリア 外商営業	自社EC
他社	POP UP 常盤橋周辺	Amazon 楽天 クラファン

確かに長く売れたほうがいいんだけど、短いことのよさってなんだろう。百貨店の常設売り場に対して、2~4週間で回す催事は売り上げがどんと立つ。短期だと、売り上げ最大化というよさがあって、長期にも長期のよさがあります。

店外で売る場合にも、やり方によっては場所代がかからないこともあるので、自社と他社の間に置きました。利益率の低いところは難しいかな。期間の長さは、組み合わせ次第で補完関係にできるかもしれないので○にしました。

みんなが言うように、右下の「デジタル×他社」は競合が多いから、選択肢としてはないかな。常盤橋エリアは三菱地所さんが場所を持っているので◎。中川政七商店と連携できることはありますか？

ホクトウ・キンキ　中川政七商店の店舗内にアナザー・ジャパンのブースをつくっていただくこと

Place　中川案

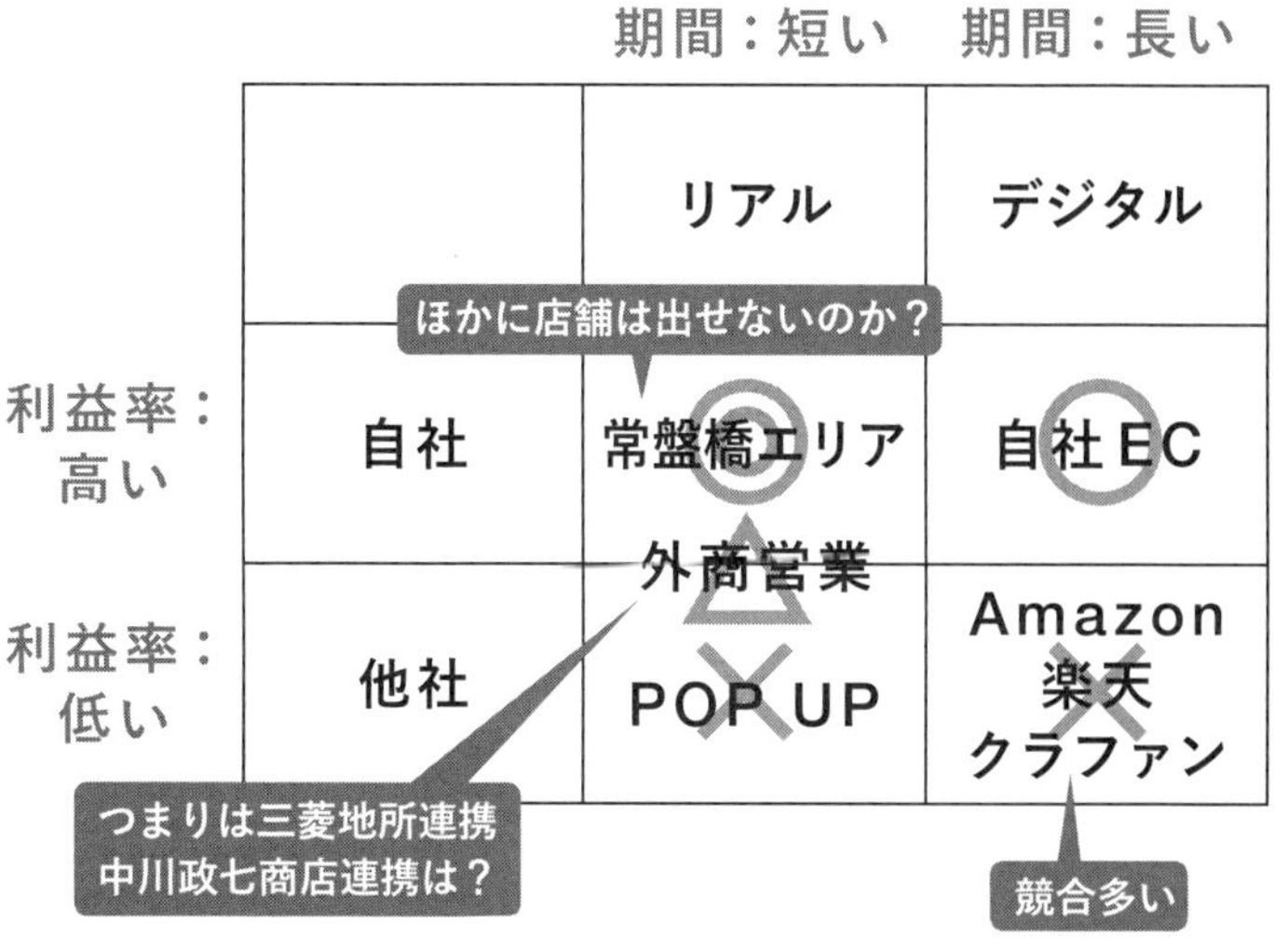

ができればいいと思います。

小さなコーナーをつくるとか、リーフレットを置くとか、そういうことはあり得るかもしれないよね。

さて、こうやって流通戦略を考えるのは丁寧な下ごしらえ。プロダクトはもっと幅が広いので、こういう整理をもっときちんとやらないといけません。この思考回路ができたら、普通の企業でも部長クラスに行けると思いますよ。

選択肢を検討し切って考え抜いて決めたら、その戦略は動かしません。ここを決め切って固定しておかないと、ちょっと売り上げが上がらないと「やっぱりAmazonで売るか」みたいに考えてしまいます。この先、うまくいかないことは必ずある。それを改善していくのは戦術の役割であって、戦略をすぐに動かしてはいけません。

4Pのプロモーション

じゃあ次、4Pのプロモーションについて考えていきましょう。アナザー・ジャパンが持ち得るコミュニケーションのタッチポイントの具体を出しながら、体系立てて、評価するまでをやりたいと思います。

各チーム、20分間かけて、整理してください。さっきのプレースのレベルまで行ってくださいね。最初の10分間で検討して、残り10分間で判断基準を出して、どれがいいのかを仕上げるところまでやりましょう。

さあ、では発表してもらいます。チュウブ・チュウシコクは図を見ると「自社／他社」で、その下に「オンライン／オフライン」という分類があると考えたんだね。違う分け方をしたチームはありますか？

カントウ・キュウシュウ　「オンライン／オフライン」と、「不特定多数／特定少数」に分けました。

自社か他社かではなくて、マス向けかマス向けじゃないか、で考えたということだね。さっきも言ったように、答えを出しにいかないといけない。どちらの分類がいいか決めましょう。それには判断基準が必要です。コミュニケーションは手間暇がかかって、お金も有限です。どうやって効率を上げるかと考えたときに、直感的に、どっちがいいと思いますか。「自社／他社」か「マス／それ以外」か、どっちがいいか。自社か他社かのほうがいいと思う人は手を挙げてください。

――（カントウ・キュウシュウチーム以外全員挙手）

カントウ・キュウシュウチームは、なぜ「マス／それ以外」で分けたほうがいいと考えているのか教えてください。

カントウ・キュウシュウ　どう売り出していくかを考えたときに、ターゲットをマスか、マスじゃないかで分けたからです。自社か他社かで分けると、金銭面も含めて「できるか、できないか」が基準になるのがよくないと思いました。どっちがやりやすいかというのを抜きにして、純粋に目指すべきターゲットを一番に考えてから、それを実現するためにやり繰りするという順番で考えたほうがいいと思いました。

なるほど。でも申し訳ないけど、僕は多数決通り「自社／他社」のほうが自然だと思います。自社だとお金がかからない。他社のものは、たいていお金がかか

Place　チュウブ・チュウシコク案

自社

- オンライン（デジタル媒体）
  - メール
    - ・ダイレクトメッセージ
  - SNS媒体
    - ・Twitter
    - ・Instagram
    - ・LINE
    - ・TikTok
    - ・Facebook
  - テレビ
  - 電子版媒体
    - ・YouTube
    - ・新聞
    - ・雑誌
    - ・漫画
  - インターネットサイト
- オフライン（非デジタル媒体）
  - 口コミ
  - 雑誌
  - 新聞
  - イベント・キャンペーン
  - ポスター・DM
  - サンプリング
  - チラシポスティング

他社協力必要

- オンライン（デジタル媒体）
  - SNS広告
    - ・Instagram
      - ・インフルエンサー
      - ・企業アカウント
    - ・TikTok
    - ・Facebook広告
  - テレビ出演
  - 電子版媒体
    - ・新聞
    - ・雑誌
- オフライン（非デジタル媒体）
  - 新聞
  - キャンペーン
  - サンプリング？ 配るとか
  - 看板広告
    - ・駅
    - ・電車
    - ・バス
    - ・ショッピングモール
    - ・学校
    - ・三菱地所や中川政七商店での広告

Place　カントウ・キュウシュウ案

	オンライン（デジタル）	オフライン（リアル）
● 大衆 ● 不特定多数	● まとめサイト ● Facebook広告 ● インスタグラム広告 ● note記事 ● テレビ番組などの出演・宣伝（全国） ● 中川政七商店、三菱地所の既存宣伝媒体	● ポスター・店頭、電車、街中、新聞 ● 口コミ ● フリーペーパー・チラシ・リーフレット ● 地元の自治体や企業からの後援
● 特定少数 若年層、ローカル規模、新規かリピート客か	● 中川政七商店公式アカウント ● TikTok ● リピーター向けの特典割引（メルマガ登録など） ● ローカル番組への出演	● 大学の新歓のビラ配り ● イベントでのビラ配り・PR ● リピーター向けの特典割引（クーポンやリーフレット） ● 地域のイベントに参加

るよね。マスかニッチかっていうのも手段じゃなくて、予算で決まることが多い。なので、分類は、チュウブ・チュウシコクの「自社／他社」が適切だと思います。

判断基準にはコストとは別に、自分たちでコントロールできるかということもあります。メディアに取材してもらうのは無料だけど、自分たちが伝えたいことがそのまま書かれるわけじゃないよね。判断基準として、コストがかかるかどうか、コントロールできるかどうかという前提に立つと、「自社／他社」がいい。なので、「自社／他社」×「リアル／デジタル」。そのうえで、それぞれ具体的にどんなコストがかかって、どれがコントロールできるのか。その先に、向き不向きがあります。例えば、見た目がかわいいスイーツを売るとして、ターゲットを若い人たちにした場合、FacebookとInstagramのどちらと相性がいいかと考えると、若い人が使っているInstagramがいいよね。

具体的に個別のSNSを書き出したらキリがないので、ここではSNSや新聞という分類までで大丈夫です。どこに優先順位を置くかは、ブランディングについて考えた後で決めましょう。

チュウブ・チュウシコク　優先順位はどんな判断基準で決めていくんでしょうか？

一つはコストの観点ですね。4つに分けてコストを考えると、リアルとデジタル、どっちが安いですか。自社でやるには、デジタルのほうが安いですよね。店舗を構えなくていいから。自社か他社かでいうと、自社のほうが安いよね。

もう一つ視点がありました。それは、コントロールできるか、自分たちが思ったようにできるか。あとは拡散力という話もある。マスに届くか、ニッチに届くか。拡散力の視点でいうと、リアルとデジタル、どっちが上ですか。当然、デジタルですよね。

いくつかの視点で見ても、自社のデジタルをやるのがよさそうで、自社と他社の両方をやるのは効率的ではないよね。最終的には、Twitterなのか Instagramなのか、ブランドのらしさが確定してきたときに決めればいいと思います。

社会人として仕事をしていて、「まず4象限で考えて……」って、このフレームワークを使いこなせたら素晴らしい。公式がすっと出てくるようになったら、速く簡単に、ロジカルな成果にたどり着けます。それが常に正解というわけではないけど、それができないと、その先に行けないと思います。

STP分析

STP分析とは何か？

　次はSTP分析です。Sが「セグメンテーション（市場細分化）」。Tがどこを狙うかという「ターゲティング（狙う市場の決定）」。Pは「ポジショニング（狙った市場の中での立ち位置）」です。どの市場で戦うかを決めて、その市場の中でのポジショニングを決めます。ポジショニングは、ブランディングのところでも出てきますので、今回は、まずセグメンテーションとターゲティングの部分をやっていきます。
　ただ、いきなりやるには難しいので、試しにインテリア業界のセグメントマップをつくってみたいと思います。インテリア業界で思いつくブランドを、セグメント分けしましょう。具体的な店名を出さないとダメなんですよね。まずは、思いつく限りのインテリアブランドを挙げてみてください。

チュウブ　「ニトリ」。

最初に出るだろうなと思っていました。

キンキ　「イケア」。

チュウシコク　ローカルかもしれないですが「太陽家具」。

キュウシュウ　「大塚家具」。

カントウ　「東京インテリア」。

ホクトウ　「アイリスオーヤマ」。

多分学生からは出ないと思いつつ、「アクタス」は分かりますか。「カリモク家具」とか「マルニ木工」は？　あと、海外勢だと「カッシーナ」とか。

STP分析とは

Segmentation（市場細分化）
Targeting（狙う市場の決定）
Positioning（その中での立ち位置）

インテリアブランドにもいろいろあるんですよ。知らないところもあるだろうけど、調べながら書き出していくわけです。この中で、例えば、大塚家具とニトリは何が違いますか。

チュウシコク　価格帯が違うと思います。

ほかに違いはありますか。価格以外で、大塚家具とニトリの違いは?

チュウシコク　出店戦略が違います。

キュウシュウ　接客が違うと思います。大塚家具は一人ひとりに接客しています。

そういうのもありますが、大きな違いとして、大塚家具はセレクトショップです。ニトリやイケアはオリジナル。セレクトでやっているか、オリジナルでやっているかどうかはビジネスモデルとして大きな違いですね。これ以外にも軸はいっぱいあると思うけど、縦軸に価格、横軸にセレクトかメーカーかを取ってみました。

家具業界のセグメントマップ例

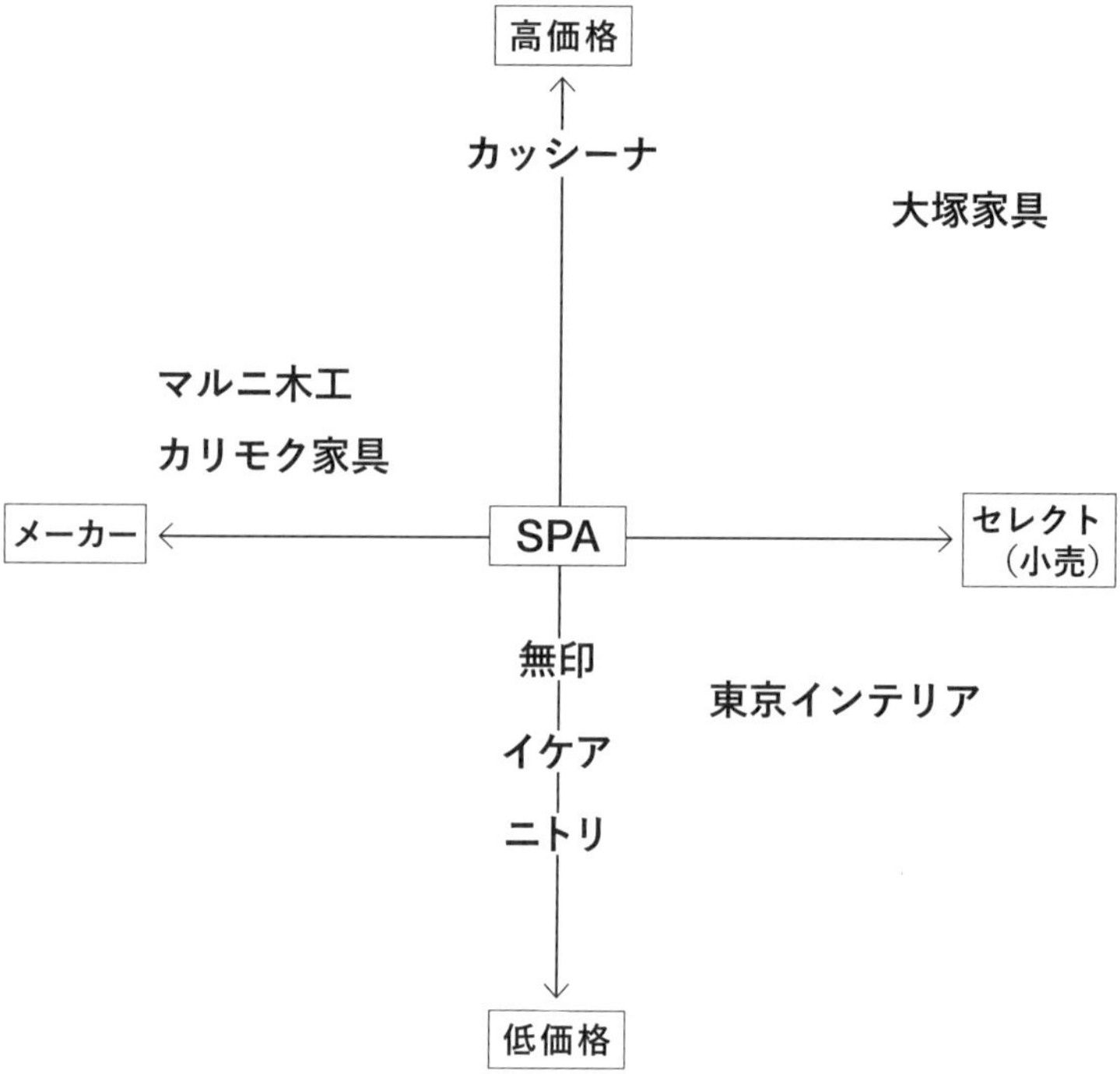

STP分析=ビジネス視点

ＳＴＰ分析のセグメントと、この後でやるブランディングのポジショニングでは、軸の置き方が違います。**ＳＴＰ分析はビジネス視点、ブランディングは顧客視点**。お客さんからすると、その店がセレクトショップなのかメーカーなのかは実はあまり関係ない。けど、デザイン性が高い、低いは、顧客視点として重要です。価格の安い、高いはビジネス視点でもあるし、顧客視点でもあります。

店を持たない家具ブランドもいっぱいあります。製造から小売りまで全部やるのをＳＰＡ（製造小売業）と呼びます。一方のセレクトショップはあくまで小売業で、メーカーがつくる商品をセレクトしてきて販売します。

メーカーは、商品はあるけど店を持っていないこともあります。ニトリはここにいるし、大塚家具はここ。カッシーナはこの辺かな。こういうふうにマッピングしていきます。

ここで何を理解してもらいたいかというと、ビジネス視点を持つことです。アナザー・ジャパンのセグメントの話を今からしますが、セグメントはあくまでビジネス視点で考えてください。ビジネスモデルの違いなどに着目して、大きなセグメントとターゲットを考えて、ベストの縦軸、横軸を決める必要があります。

3Cのところで、百貨店の催事売り場やビームス ジャパンの話をしました。百貨店の催事とビームス ジャパンはまったく違うけど、何が違うかをビジネス視点で、縦軸、横軸を取ってみる。本当の競合がビームス ジャパンなのか、それとも催事売り場なのか、その辺を明らかにする前段階として、具体の解像度を上げていく必要があります。

だから、このセグメントマップを使って、もし新規参入するなら、どこに飛び込むかを決めるわけです。これを丁寧に書いていくと、激戦区がどこかも見えてきますよね。反対に、ここで勝負しようという場所も見えてくるかもしれません。

チュウシコク　質問していいですか。STP分析も顧客視点で行うものだと学んでいたので、ビジネス視点というのは初めて聞きました。

これは、中川流の方法です。だから、教科書には書いてありません。なぜ顧客視点では分析しないかというと、例えば家具屋さんも雑貨屋さんも最近は境目がなくなってきてるんですよね。無印良品は両方扱っているし、雑貨屋さんで家具を売っているところもある。お客さんから見るとほぼ同じ業種に見えるわけですよ。

でも、ビジネスとしてはまったく違います。例えば、家具は在庫を持たなくて、基本的には注文をもらってから製作し、納品するビジネスです。雑貨は在庫を持って、お客さんは店で購入してすぐに持って帰ることができる。在庫を持つ、持たないというのは、ビジネスとしては大きく違います。何が違うかというと、お金の入り方と出方が違う。**経営者としては、ビジネス視点での立ち位置＝セグメントを先に押さえてから顧客視点での立ち位置＝ポジショニングを見極めたほうがいいと思います。**

それでは、20分間で、アナザー・ジャパンのセグメントを決めていきたいと思います。どうやったら短い時間で最高の出来上がりになるかを、常に意識してください。

セグメントとポジショニングの違い

セグメント ＝ ビジネス視点

ポジショニング ＝ 顧客視点

アナザー・ジャパンのセグメント発表1回目

セグメントは3チームとも発表をお願いします。

カントウ・キュウシュウ　横軸がリアルとデジタル。縦軸に価格を置きました。

チュウブ・チュウシコク　横軸の左がセレクトショップで、右が自社ブランド。真ん中がコラボ商品。縦軸は、モノ、反対型に体験を置きました。価格を入れなかった理由は、前回、3万円のものを売ることはないだろうという議論もあったので、除外しました。

ホクトウ・キンキ　価格では差があまり出ないと思って、縦軸は希少性・独自性と置いて、横軸をアイテムの種類の多い少ない。品ぞろえのバリエーションとしました。

ありがとうございました。今やってもらったセグメントマップって、プロダクト、プレース、プライス、プロモーションという4Pの話なんですよ。商売は、4Pで

カントウ・キュウシュウのセグメント案

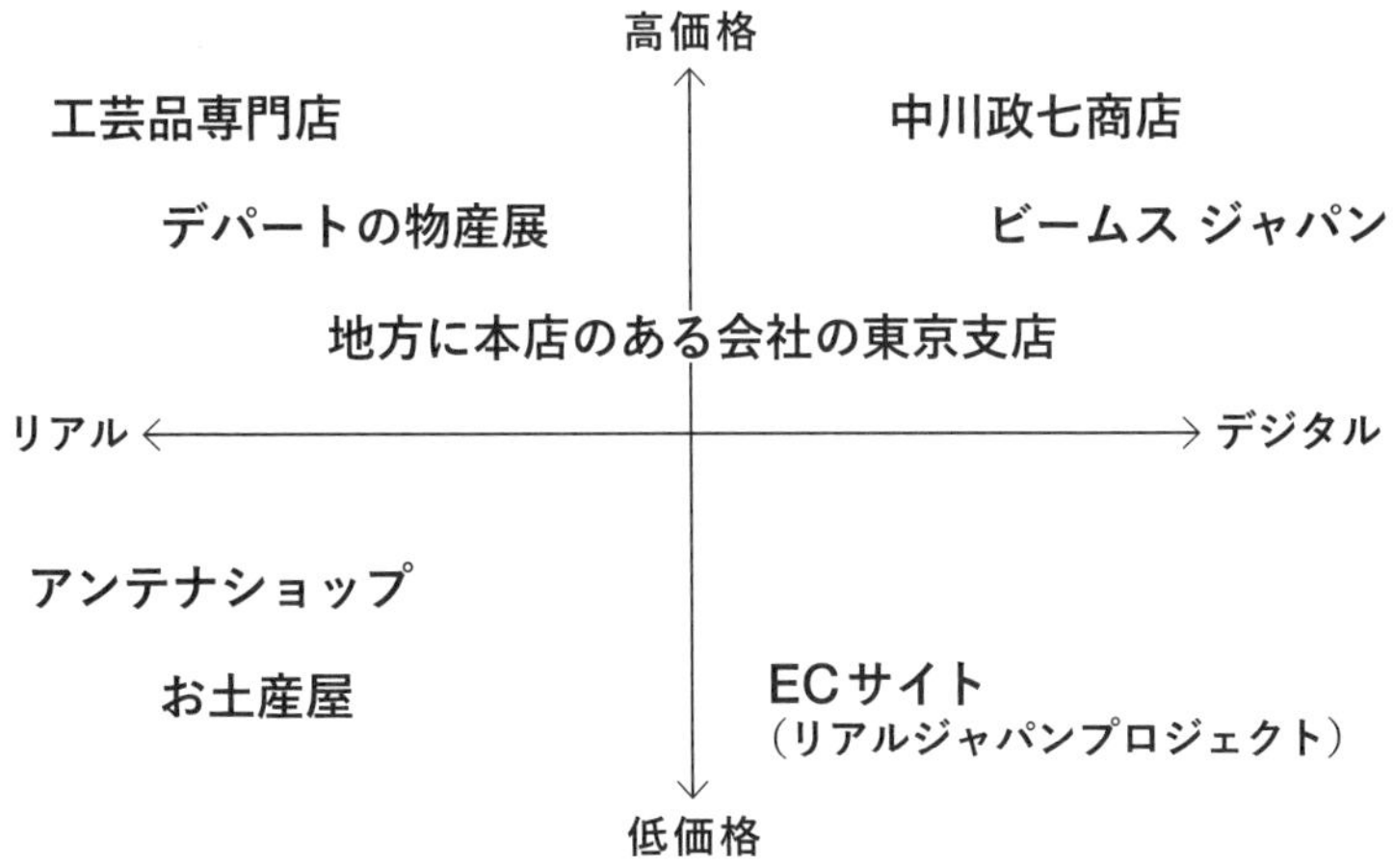

チュウブ・チュウシコクのセグメント案

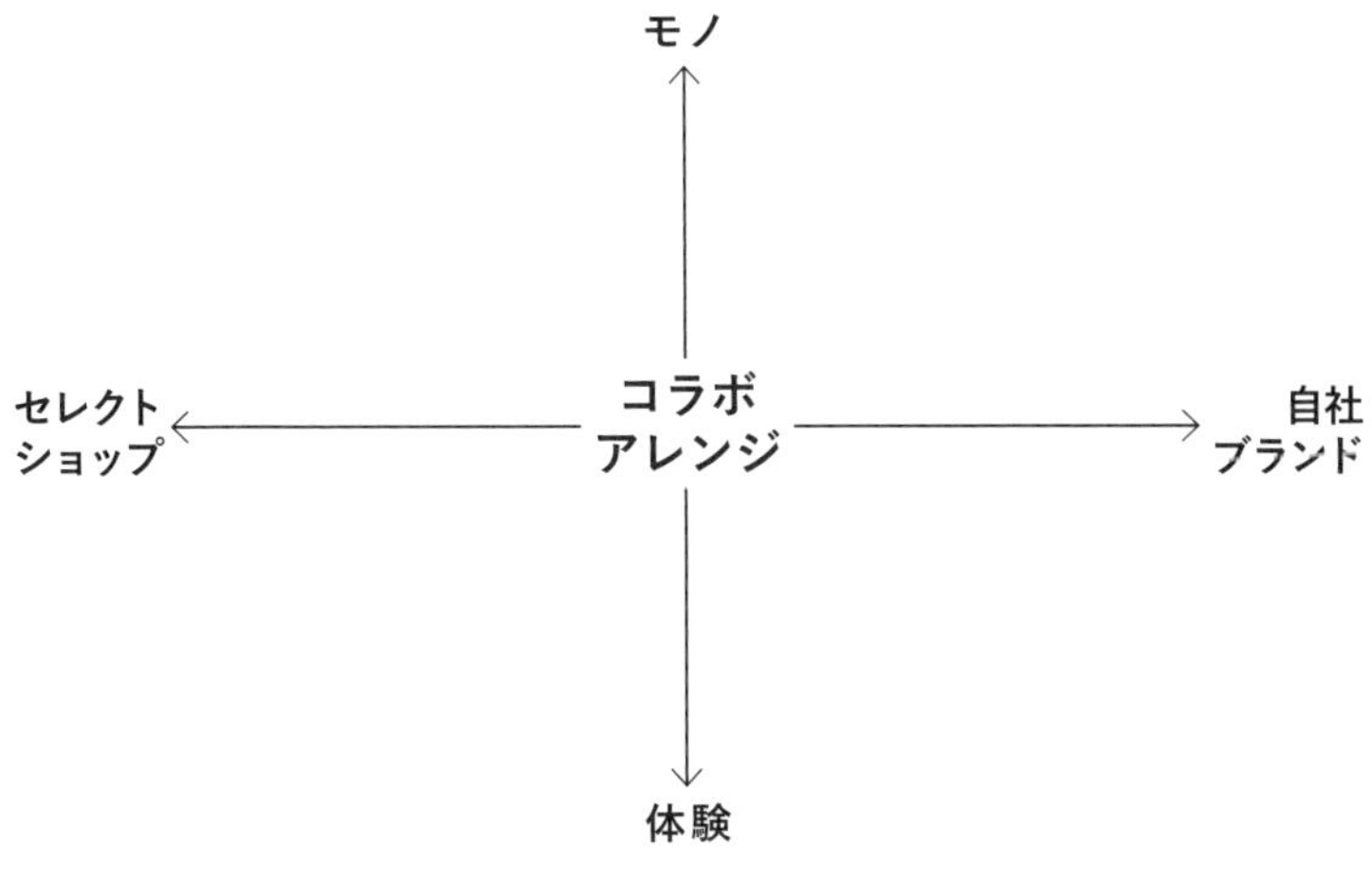

できていると言いましたね。だから、**セグメントマップの軸は、ほとんどは4Pのどれかを選び取ることになる。**

チュウブ・チュウシコクが指摘してくれていた通り、プライスは、以前の下ごしらえで議論の余地がないと分かっているので、選ばなくていい。なので、プライスと書いたカントウ・キュウシュウチームの案は落ちるわけです。

残り2つの案を見ていくと、どちらも、縦軸と横軸がプロダクトの話になっていますよね。要素をもう一段階、抽象化できていれば、「軸が両方ともプロダクト関連でいいの？」と気づくことができるはずです。プレースとプロモーションもあるのに、プロダクトに視点が寄り過ぎているということで、両チームともあと一歩足りませんでした。

2つの案に差があるとしたら、ホクトウ・キンキ

ホクトウ・キンキのセグメント案

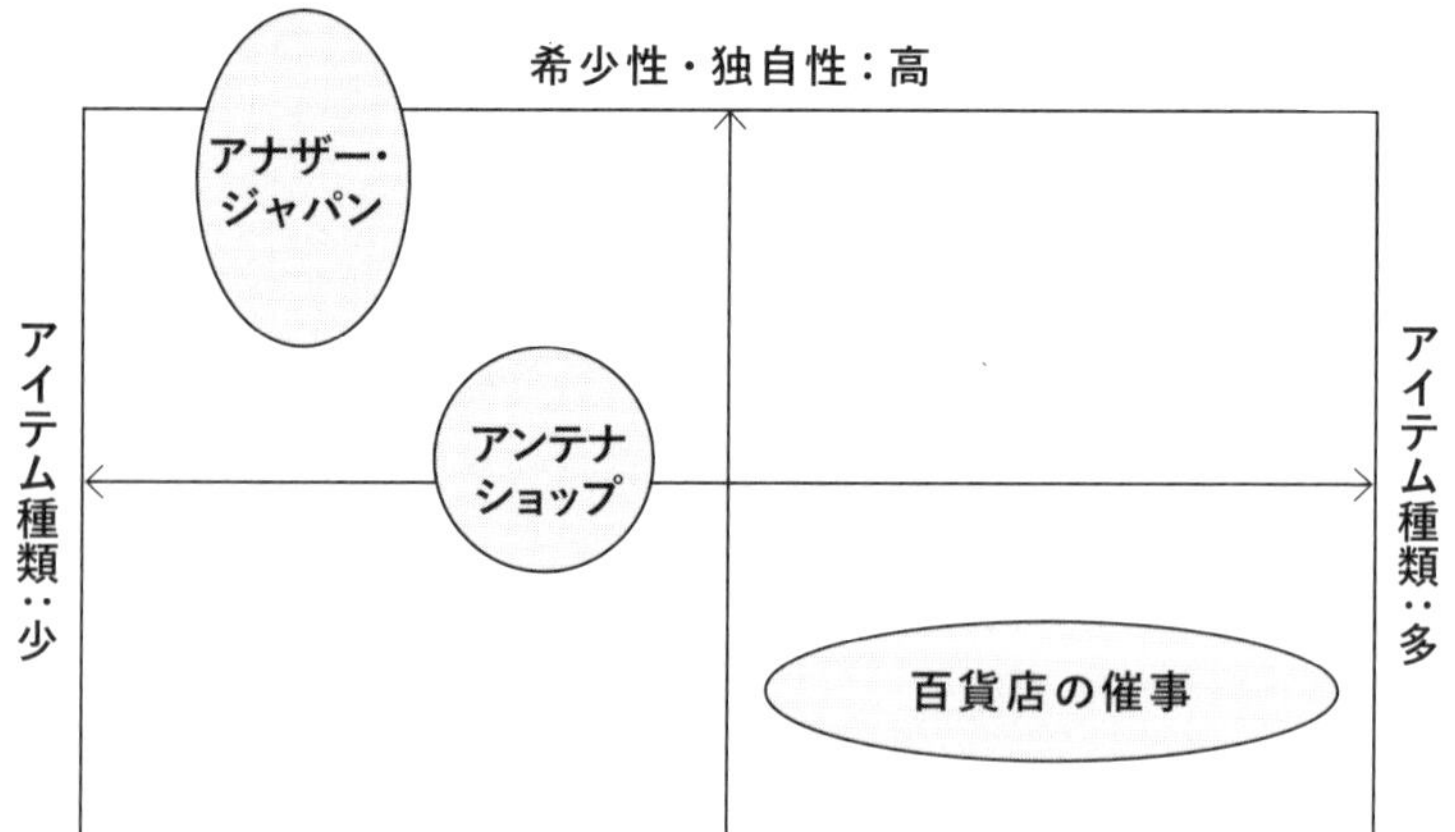

の「独自性」という軸は、顧客視点だと思うんですよね。セグメントはビジネス視点で選んでもらいたいので、みんなの中でベストな案はチュウブ・チュウシコクの案だと思います。

ちなみに、中川案は、「期間」と「食品比率」です。3Cの議論で、競合は、百貨店の催事とビームスジャパンのようなショップという2つの線がありましたよね。この2つの決定的な違いは、期間限定かどうか。それが商品の仕入れの違いになります。

食品には賞味期限があって、要冷蔵、要冷凍もあります。食品か非食品かは大きな違いで、この2つで切ってみるのがいいと思っています。

なので、口を出して申し訳ないですが、中川案の軸でもう1回やってみてくれませんか。

日本の地域産品を売るお店を、この2軸で分け

セグメント　中川案

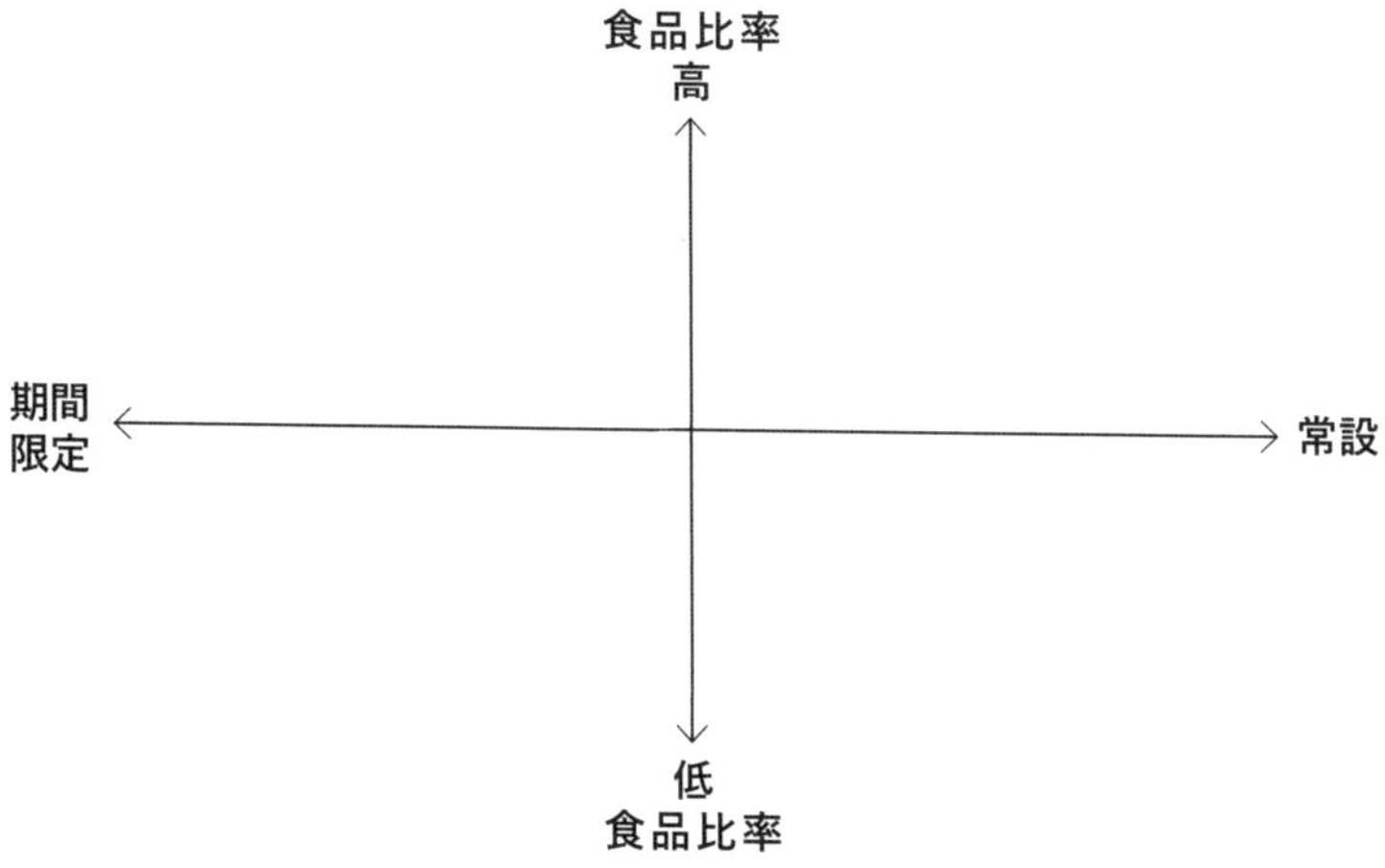

てみてください。百貨店の催事やアンテナショップとかをプロットして、アナザー・ジャパンがどこで戦うべきかを考えてみましょう。

アナザー・ジャパンのセグメント発表2回目

代表して、ホクトウ・キンキから発表をお願いします。いろんなところを調べてくれているね。当たり前だけど、基本的には長期のほうに偏っているよね。特筆すべきポイントはありますか。

ホクトウ・キンキ　いろんなショップを分類してみたときに、期間限定は少ないと気づきました。バランスよく双方を取り入れた、アナザー・ジャパンは真ん中に置きました。

いいですね。作成する中で悩んだポイントはありましたか？

ホクトウ・キンキ　期間をどう設定するかに悩みました。「青山ファーマーズマーケット」は国連大学前で開催していますが、週末だけの開催なので、期間が短いのか。でも長くやっているので、常設ともいえます。

何をもって期間限定、長期というかだよね。毎週同じ場所にあって、出店店舗や品ぞろえがほとんど変わっていなかったら、「休日が多い店」とも捉えられるよね。週5日休みで、土・日しかやっていない店ともいえます。期間限定という軸をどう定義するか。変化が大きいか、小さいかということで整理できるかな？

ホクトウ・キンキ　変化の大きさでいえば、アナザー・ジャパンはもっと左だと思いました。そのうえで、食品比率によってアナザー・ジャパンのセグメントが決まると思います。でも、正直、決め切れていません。というのも、食品のほうが利益率が低いので、利益率で考えると非食品が多い

ホクトウ・キンキのセグメント案（2回目）

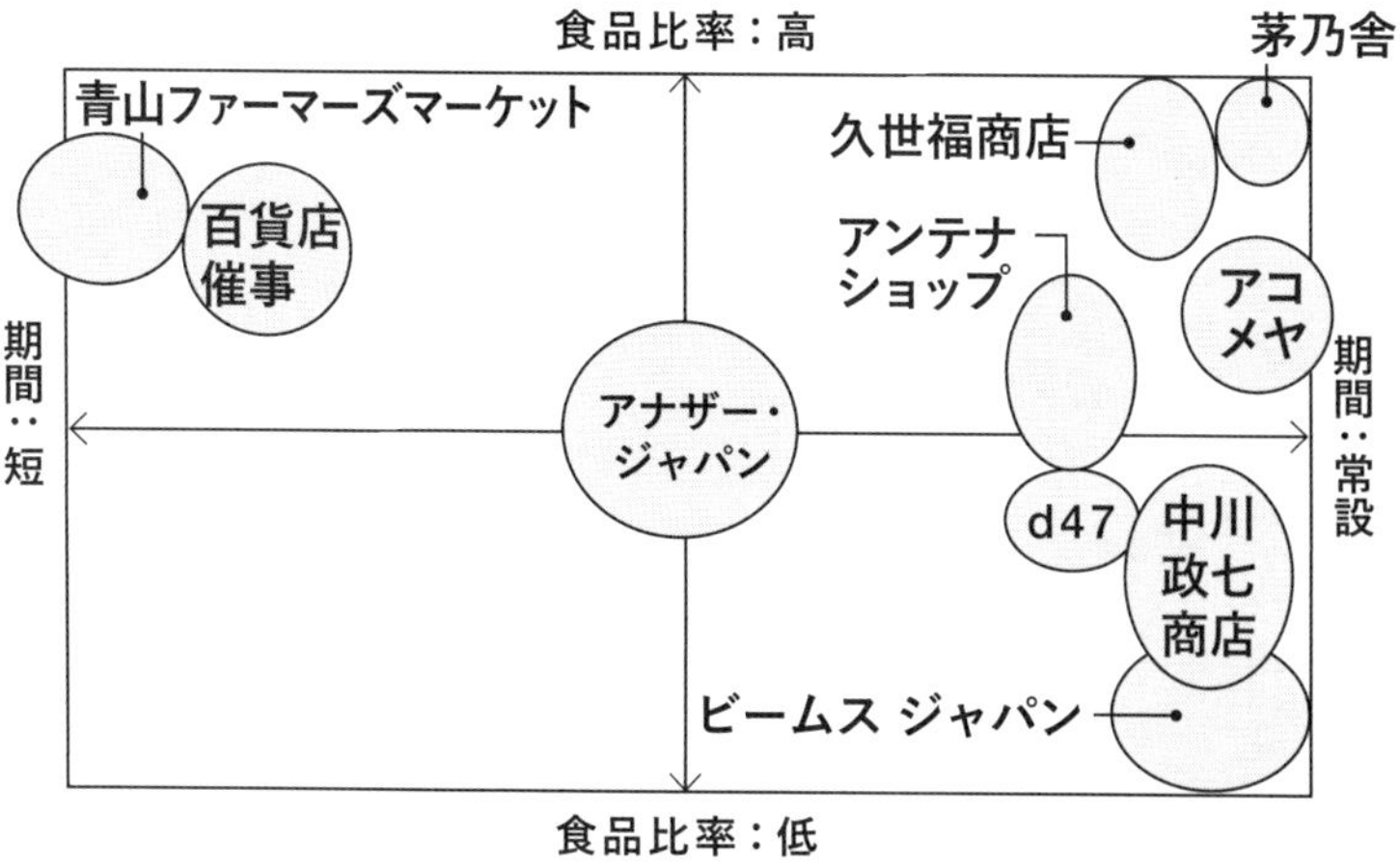

ほうがいいからです。

利益率を考えるのはいい視点です。期間限定で仕入れだけを行うアナザー・ジャパンは、食品比率が高いとしんどいと思います。

大まかなセグメンテーションはできましたね。ただ、こちらも最終決定は、すべての材料が出そろってからにしましょう。今は生煮えのまま置いておければと思います。

AISAS

AISASとは何か?

マーケティングの最後はAISASです。聞いたことはありますか。一昔前、SNSがない時代には「AIDMA」というワードがありました。これは、消費者のブランドに対する認知変化です。AIDMAでは、まずは「認知」から始まります。そこから「興味」を持って、次に欲しいという「欲望」に変わって、「記憶」して、買うという「行動」につながるという考え方です。しかし、SNSの時代になって、このＡＩＤＭＡはもう合わないよねということで、今はＡＩＳＡＳ。ＡＩＳＡＳは何が違うと思いますか？

カントウ　「サーチ」と「シェア」です。

　買った後のＳＮＳなどのシェアも入ってきますってことですね。この流れを理解したうえで、マーケティングを考えましょう。メディアや口コミ、ＳＮＳという「認知」があって、「興味」「検索」があって、購買などの「行動」があって、口コミ、ＳＮＳという「共有」があって……、これがまた認知につながって、ぐるぐる回っているということです。

　少し前にコミュニケーションを考えたときに「自社／他社」という話をしましたが、**消費者はどんど**

AIDMA	AISAS
Attention（認知）	Attention（認知）
Interest（興味）	Interest（興味）
Desire（欲望）	Search（検索）
Memory（記憶）	Action（行動）
Action（行動）	Share（共有）

ん認識変容をしていくということを知ることが大事です。これについてはコミュニケーション設計のところにつながるのでここで詳細には触れませんが、認識しておいてください。以上で、マーケティングのフレームワークを終わります。

5章

ブランディング

〈この章のポイント〉

1. ブランドは「お客さんの頭の中にあるイメージ」。ブランドを形成するあらゆるタッチポイントの整理が大事。

2. ポジショニングは顧客視点で、形容詞的な感覚も大事にして整理する。その中で独自ポジションを見つける。

3. ブランド価値は時代とともに変遷している。ライフスタンスがブランド力になる時代が来ている。

ブランディングとは何か？

5つのフレームワーク

ブランディングのフレームワークを5つ紹介します。ブランドは「コンテンツ」×「コミュニケーション」で、コンテンツには「ブランドの組み立て」「ポジショニング」「コンテンツの3レイヤー」があります。コミュニケーションについては10章で触れるので、このパートではコンテンツの3つのフレームワークに触れます。

ブランドの本質

普段、ブランドという言葉を使ったことがあると思いますが、僕が考えるブランドと、みんなの意識の中にあるブランドとは違うと思うので、認識を合わせるためにブランド総論から始めます。

ブランディングのフレームワーク

コンテンツ × **コミュニケーション**

コンテンツ	コミュニケーション
● ブランドの組み立て	● ビークルの整理
● ポジショニング	● コミュニケーション設計（10章で解説）
● コンテンツの3レイヤー	

「ブランドって何ですか」と聞かれたら、どう答えますか？

ホクトウ　そのお店の独自のコンセプトだと思います。

チュウブ　「コカ・コーラ」のコーラと名前を知らないコーラがあったときに、コカ・コーラのほうを買う。それがブランドなんだと思います。

うーん、どちらも60点。足して100点かな。

僕の定義は、「**ブランドとは差別化され、かつ一定の方向性を持ったイメージにより、商品・サービス・会社にプラスをもたらすもの**」です。

同じ飲み物でも、ブランドごとに価値が違います。差別化はほかと違うということで、一定の方

ブランドとは
差別化され、
かつ一定の方向性を持ったイメージにより、
商品・サービス・会社にプラスをもたらすもの

向性というのは、らしさとか世界観。それで会社にプラスをもたらすのが、ブランドです。「オリジナリティーはあるけど好きになれない」とか、「このロゴがないほうがいいよね」って感じるってことは、独自性はあるけどプラスにはなっていないということですね。

そして、誰がブランドかどうかを判断しているかという話をします。「アップルストア」に行くと、そこにブランドって置いてありますか。ブランドって、どこにありますか?

キンキ　お客さんの心の中です。

パーフェクトです。**ブランドは、お客さんの頭の中にあるイメージです**。よく、世界のブランドランキングみたいなものがありますね、数値化しようと思えばできるけど、本来的にはお客さんの頭の中にある。だから、ある人にはブランドとして価値を持っても、ある人には価値がないかもしれません。つまり、ブランドは絶対的なものではありません。

では、ブランディングとは「付加価値を付けること」と言う人がいますが、本当にそうでしょうか。そういう人は、商品という機能的な価値と、デザインなどの付加価値があって、その1つがブランドであると捉えているんだと思います。でも、頭の中のイメージって、そんなふうに分かれていますか。そんな細かいこと、誰も考えてないよね。

もっと言えば、ブランドが付加価値という考え方は、ブランドを部分として捉えています。ブランドは部分じゃなくて全体です。ブランドは頭の中にできるイメージであって、それは部分じゃなくて、全体からつくられるものです。

じゃあ、それってどうやってつくっていますか。「ユニクロ」で考えてみましょう。ユニクロはブランドだと思う人はいますか？

——（学生全員挙手）

ユニクロはブランドですよね。10年前に聞くと挙手するのは3割くらいの人だったと思いますが、最近だと7割以上の人が手を挙げます。さっき、「ユニクロはブランドですか?」って聞かれて、みんな、何を思い浮かべましたか。

チュウシコク　赤と白のロゴマークが浮かびました。

　では、なぜブランドと思ったのでしょうか?

キンキ　僕は今、上下ともユニクロの服を着ています。「これユニクロだよ」って言われて商品を紹介されたときに買いたいと思うので、ブランドだと思いました。

ホクトウ　「ヒートテック」みたいな、代表的な商品があるとブランドといえると思いました。

　ロゴも商品もそうだし、ユニクロに関して知っているさまざまなことがブランドにつながっているよね。チラシとか経営者のインタビューとか、いろんな要素が頭の中で処理されて、ポジティブならブランドと思える。仮に店舗でひどい接客を受けたら、嫌いになるかもしれない。ブランドの構成要素は、知り得る限りの情報全部です。その情報に接するポイントのことを、**タッチポイント**といいます。

タッチポイントとは?

タッチポイントからの情報の蓄積、それがブランドをつくります。じゃあ、アナザー・ジャパンのタッチポイントとして何があり得るんだろうか。前回、これと似たような話をしましたよね。そう、プロモーションだよね。リアルとデジタル、自社と他社。いろんなプロモーション経路がありますよという話をしました。

タッチポイントは、プロモーションで挙げた要素ですべてですか? さっきユニクロで、ちょっと挙げてもらっただけでもいろいろありました。店頭での接客もありましたね。それは、プロモーションに入っていましたか? 入っていなかった。つまり、プロモーションはタッチポイントの一部で、概念としてはタッチポイントのほうがより広いんです。

では、アナザー・ジャパンのタッチポイントを挙げてみてください。タッチポイントを整理するときに、プロモーションのときに挙げた要素以外に何があるんだろう。これも、構造で捉えてもらいたいですね。10分で考えましょう。

アナザー・ジャパンのタッチポイントとして想像できるもの。プロモーションのときに出なかったものを挙げて、構造化してみてください。具体性の高いものを網羅的に出す必要はなくて、概念だけでいいですよ。

ホクトウ・キンキのタッチポイント案

- 接客
- インテリア
- 商品
- 関連企業のブランド
- ロゴ
  - 色（赤って目立つ）
- 客層
- 自ら周囲に宣伝
- 客層
- ブランドストーリー
- 社会貢献

- デザイン
  - ロゴマーク
  - 店舗のインテリア
  - 建物
  - 街区
- 人
  - 接客の質
  - 客層
  - 選考の精度
- 商品

チュウブ・チュウシコクのタッチポイント案

	店舗利用前	AJ店舗利用中	店舗利用後
人	●自分たち ●中川さんたち ●取引先 ●記者さん	●店員（Settler）接客 ●来店中のお客さんの印象	●購入後のお客さんとのつながり
モノ	●各種メディアでのプロモーション ●ロゴ ●開店までのストーリー ●店舗のデザインや雰囲気 ・内装、陳列等	●商品 ●店舗のデザインや雰囲気 ・内装、陳列、ロゴ等 ・音楽	●商品 ・商品の使用感 ・使い心地 ・味

一つひとつフィードバックします。ホクトウ・キンキチームの内容は、中身は面白いし、合っています。ですが、構造化はできていませんね。

チュウブ・チュウシコクは「店舗利用前」「利用中」「利用後」と時間軸を持ってきているのが素晴らしい。カスタマージャーニー（※左ページの注釈）みたいなものがあって、人とモノに分けている。

カントウ・キュウシュウは五感を入れているのが特徴的ですね。何か意図はありますか？

カントウ・キュウシュウ　人は視覚から80％の情報を得るといわれています。なので、五感のうち視覚と、それ以外の四感に分けました。いろんな情報を捉えて、それがブランドとして形成されたらいいかもしれないと思いました。

カントウ・キュウシュウのタッチポイント案

- **視覚**
  - **品ぞろえ**
  - **店名**
  - **店構え**
  - **店舗やPR時の色使い**
  - **ロゴ**
  - **ショッピングバッグ**
  - **内装**
  - **陳列**
- **その他の四感**
  - **接客**
  - **店内音楽**
  - **匂い**
  - **商品を使う体験**
  - **クチコミ**

「五感マーケティング」に関する本もあって、これも正解だと思いますし、面白いと思います。みんなに決めてもらいたいのが、チュウブ・チュウシコクのフレームがいいか、カントウ・キュウシュウの五感で捉えたフレームがいいか。どっちでやっていったほうが後々いいと思うか、手を挙げてください。

モノ、人、時間軸のチュウブ・チュウシコクのフレームがいいと思う人は？

――（挙手多数）

おぉ圧倒的。カントウ・キュウシュウの五感のフレームがいい人は？

――（挙手わずか）

その心は？　なぜそう思いましたか？

カントウ・キュウシュウ　五感がブランドの印象など、ブランドをつくっていくうえで大切だと思ったからです。

カスタマージャーニーとは、顧客が商品やサービスを知り、購入意欲を高め、実際に購入・利用し、さらに再購入や利用継続の意思決定をするまでの一連の顧客体験のこと。本書では深堀りしないが、情報があふれる現代社会において、タッチポイントを一貫してマネジメントする際に有益なフレームワーク。

みんなは今回、ブランドをつくる側です。あらゆるタッチポイントでどういう印象を持ってもらうかを考えないといけません。五感を重視するのは大事なのですが、接客するときに五感というのをうまく使い分けて、それに応じて何か施策を打てるかというと、難しいですよね。そういう意味では、チュウブ・チュウシコクのモノ、人、時間軸のフレームのほうが現実的です。

つまり、ブランドは総力戦

タッチポイントを人、モノ、メディアに分けて、そこに時間軸を入れる。タッチポイントにおけるあらゆる情報がインプットされて、それがポジティブに働くとブランドになる。すべてのタッチポイントをコントロールして、あるべきイメージをつくっていくわけです。

例えば、店員に1人だけ、過激な格好の人がいるというのはダメで、自分たち一人ひとりがブランドを体現しているんだと理解しながら身なりも考えていかないといけないよね。人、モノ、メディア。つまり、**ブランドは総力戦**です。

ブランディングは付加価値だと言ってしまうと、この視点が抜け落ちてしまいます。ブランドは、デザインだけでも、モノだけでもないし、接客がブランドをつくることもある。そのブランドイメージを、どうつくるかという方法論がブランディングです。

ブランディングの定義とは、「**伝えるべき情報を整理して、正しく伝えること**」です。何をどう伝えるかを言い換えると、それは、「**コンテンツ×コミュニケーション**」になります。

コンテンツには3つのフレームワークがあります。これまで下ごしらえばかりして、そのまま置いておいたものが、ここから、ついに料理になっていきます。

ポジショニング

1つ目のフレームワーク「ポジショニング」

コンテンツの1つ目のフレームワークとして、ポジショニングを考えます。4章で、マーケティ

ブランドは総力戦

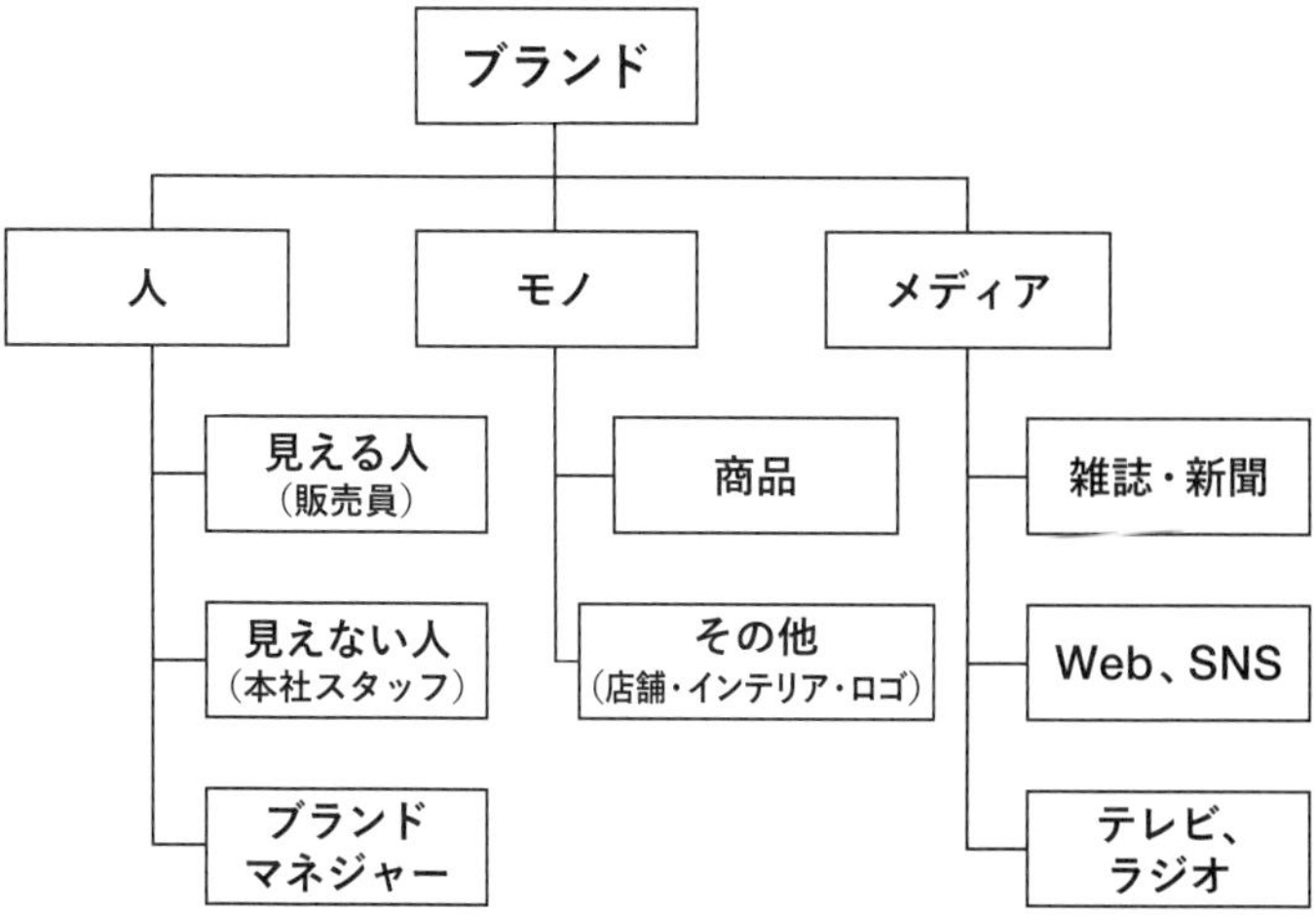

ングのＳＴＰ分析のときに、セグメンテーション、ターゲティングを考えました。地域産品を扱う中で、アナザー・ジャパンはこの辺かなって、ポジショニングマップをつくりましたね。あれはビジネス視点でした。今度は、お客さんの視点で、どこまでが競合になり得るかという話です。

アナザー・ジャパンという看板が掛かっていたら、普通は催事場とは思わないですよね。催事場と競合とは思われないだろうということです。食品をメインに売る店にはならないから、スーパーとかも競合ではない。では、競合として見られる可能性がある中でのポジショニングをどうつくるといいでしょうか。

ビジネス視点ではなく、顧客視点で考えるのがポジショニングです。これはまた、新たに軸を設定しないといけません。顧客視点で、どう見えているのかを把握する必要があります。

まずは、アナザー・ジャパンをどういうブランドとして見せていくか、を考えます。そのときに、よく使う縦軸、横軸があります。それが、エモーショナルプログラム（※注釈）。縦軸に精神年齢軸、横軸にコンサバティブとアグレッシブを置いて、これで、さまざまな商品をプロットしていきます。

これは、車でも女性誌でも何でもできるんですよ。おもしろいのが、車でも雑

エモーショナルプログラムとは、コンセプター坂井直樹氏による市場分析、ブランド開発のためのマーケティング・メソッド。生活者個々の「エモーショナルスタイル」に訴えかけ、市場の潜在ニーズを掘り起こすことに活用される。書籍『EMOTIONAL PROGRAM BIBLE』（坂井直樹著、英治出版、2002年）に詳しい。

誌でも、アイテムを超えて趣味がある程度固まる点です。「アダルト」で「コンサバティブ」が好きな人は、車でも雑誌でもそう。若い頃は比較的散らかっているけど、成熟してくると定まってくることが多いです。

ただ、これはどちらかというと、ものづくり視点です。洋服をつくるときに、デザインする人がこうやって考えるのはいいけど、今回はセレクトショップを立ち上げるので、そのままは当てはまらないかもしれません。

エモーショナルプログラムにとらわれず、競合をどんな軸で見て、認識するのか、どこにアナザー・ジャパンがポジショニングするといいのかを、顧客視点で考えてもらいたいです。できれば、誰もいないポジションを取れるのが理想です。

今までは分析的にやってきましたが、今回はク

エモーショナルプログラム

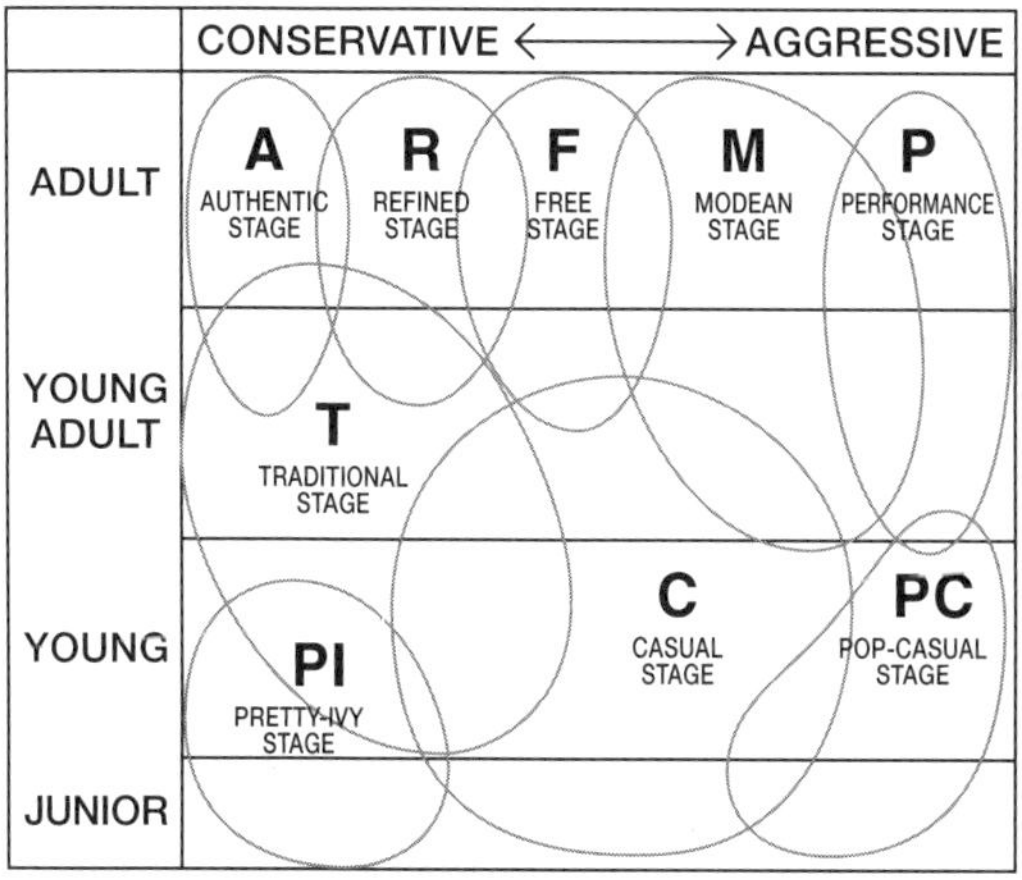

A　：正統派
R　：洗練派
F　：自由派
M　：現代派
P　：表現派
T　：伝統派
PI ：プチ伝統派
C　：日常派
PC：ストリート派

出典：坂井直樹『EMOTIONAL PROGRAM BIBLE』

リエイティビティーも求められます。登場人物をそろえておきましょう。「アコメヤ」「ビームス ジャパン」「リアルジャパンプロジェクト」「伝統工芸 青山スクエア」、それと「アンテナショップ」。「藤巻百貨店」と「日本百貨店」。あとは「中川政七商店」と「d47」でやってみてください。じゃあ、チュウブ・チュウシコクからお願いします。

チュウブ・チュウシコク　男性的、女性的という軸で分けました。藤巻百貨店が男性的、d47が女性的。縦軸では特別感と日常感としました。

　個々の場所が適切かはともかく、軸の切り方はいいと思います。次はホクトウ・キンキ。

ホクトウ・キンキ　縦軸に体験価値を置きました。

チュウブ・チョウシコクのポジショニング案

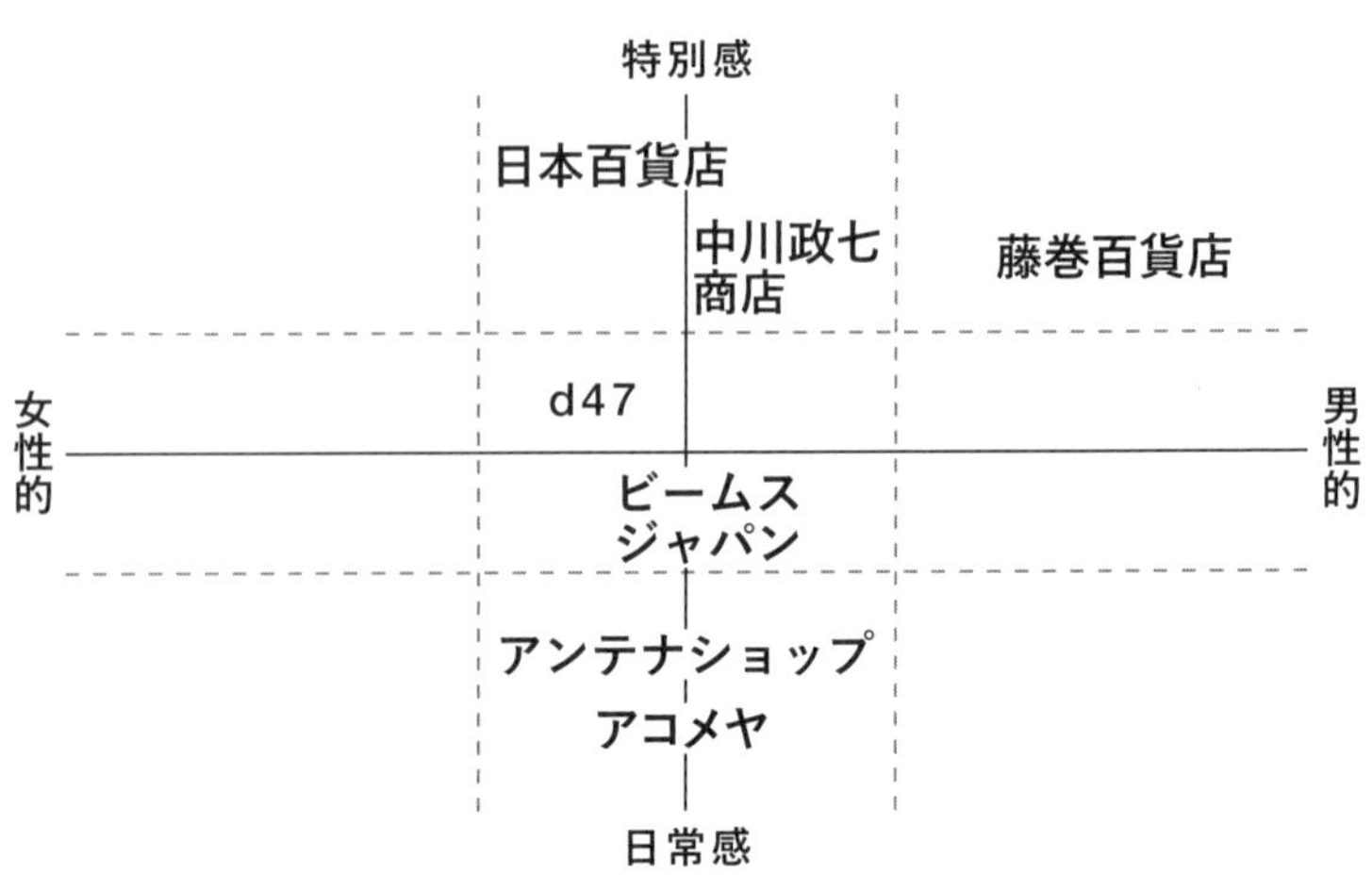

例として、オリジナルの香水をつくれる店が代官山にあって、自分でつくれるということに価値を見いだしている人がいるのかなと思いました。横軸が独自性。ビームス ジャパンだとオレンジ色で別注した信楽焼のたぬきとかこのブランドならではのものがあって、この軸にしました。

体験価値って、高いほうが絶対にいいですよね。軸は、グラデーションだと思うんですよ。言い換えると、**軸の両極に良しあしを持ってきてはいけません**。独自性が高い、低いと言うと、低いほうがよくないように思える。良しあしではなくて濃淡で分けられるようにしないと、軸としてはふさわしくない。では、カントウ・キュウシュウチーム。

カントウ・キュウシュウ　コトを消費するか、モ

ホクトウ・キンキのポジショニング案

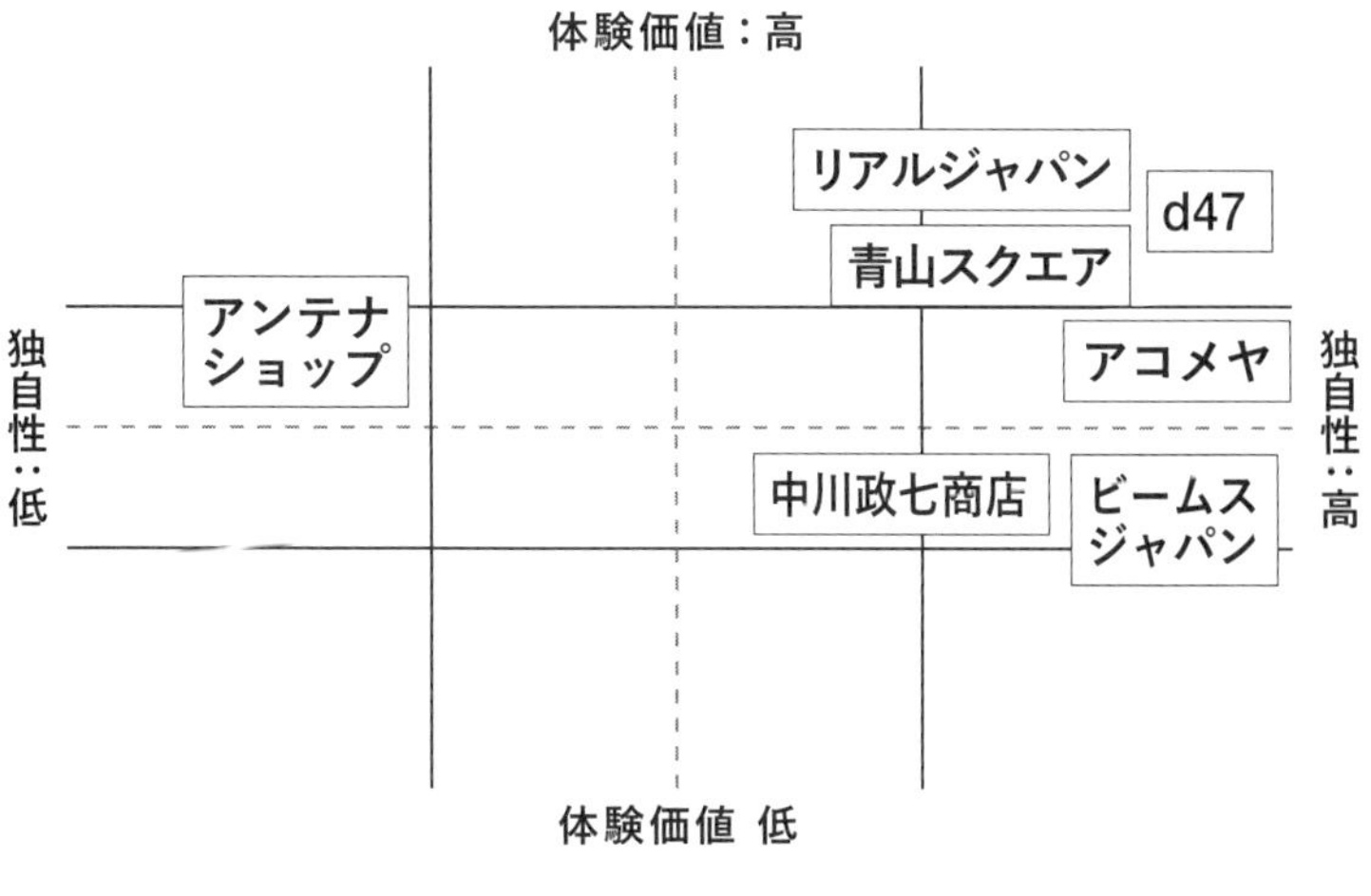

ノを消費するかという軸と、手軽に買いやすいもの、心理的な距離という意味で、日常的と伝統的という軸を設けました。

日常的か、伝統的か。特別、日常というのと近いのかな。顧客視点なので、もっと形容詞的な軸でもいいですよ。かわいいとか、かっこいいとか。みんな、こういう店を見るときに、さっき自分たちが挙げた視点で見ていますか。一部、見ているかもしれないけど、一顧客とすると、また違いますよね。もっと形容詞的な、感覚的な軸でも、このレイヤーは成り立ちます。

全員がこの競合9店舗を実際に見たことがあるわけではないですよね。これからビジネスをつくっていく側としては、実際に店に行くと解像度がかなり違ってくると思います。食品比率や、冷蔵

カントウ・キュウシュウのポジショニング案

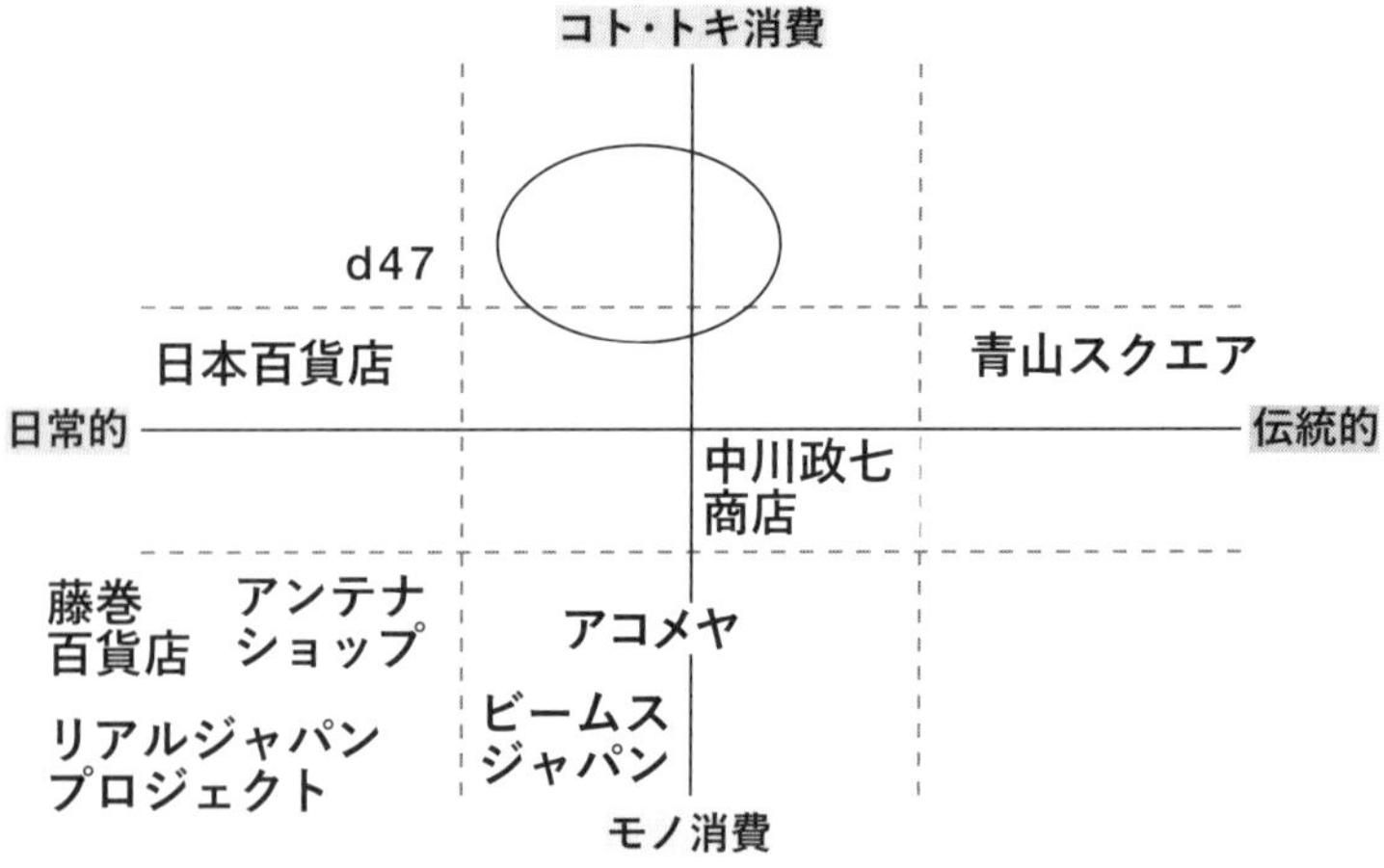

庫があるかどうかというのもある。チームで手分けしてもいいので、全部行って、観察して、感じて、もう1回考えてみてください。

これは宿題にしましょう。考えてきてほしい視点は3つです。1つ目は、「ポジショニングの軸は何か」ということ。2つ目は、「なぜその軸にしたのか」。3つ目は、「アナザー・ジャパンはどのポジションを取って、どうやって勝つか」。

ポジショニングの再発表

それでは、宿題のアウトプットをお願いします（※注釈）。代表して、ホクトウチームが詳細を発表してみてください。

ホクトウ 軸は、縦が雰囲気の「非日常／日常」。横は、商品の「日常／非日常」。4つの部屋のイメージを言うと、左上は、「雰囲気が非日常で、商品が日常」。これは、例えば「スターバックスコーヒー」です。サードプレースを提供して、コーヒーを売っている。左下は、雰囲気も商品も日常で、スーパーとかコンビニ。右上は雰囲気が非日常で商品も非日常。高級な雰囲気で、例えばハイブランドです。右下は、雰囲気は日常で商品が非日常ということで、埴輪《はにわ》のような少し変わった商品を売っ

実際の研修では、2週間の期限を設けて学生は9店舗すべてを訪問し、確認した。

ている地方のお土産屋さんです。

なぜこの軸にしたかというと、お店で記憶に残るのは、扱っている商品や体験、お店の雰囲気だと思ったから。軸についていろいろ考えたところ、ここに落ち着いたのは、ほかのお店が少なくて、アナザー・ジャパンが突き抜ける可能性があると思ったからです。そこで、どうやって勝つかというと、競合店舗にないような位置付けで、顧客体験の提供を目指すといいなと思いました。

雰囲気と商品それぞれで、日常と非日常という軸がいいなと思う一方で、ポジショニングを見ると、アナザー・ジャパンは日常のものだけで勝負するということですかね。

ホクトウ　本当にいつも使うようなものだけでは

ホクトウのポジショニング案

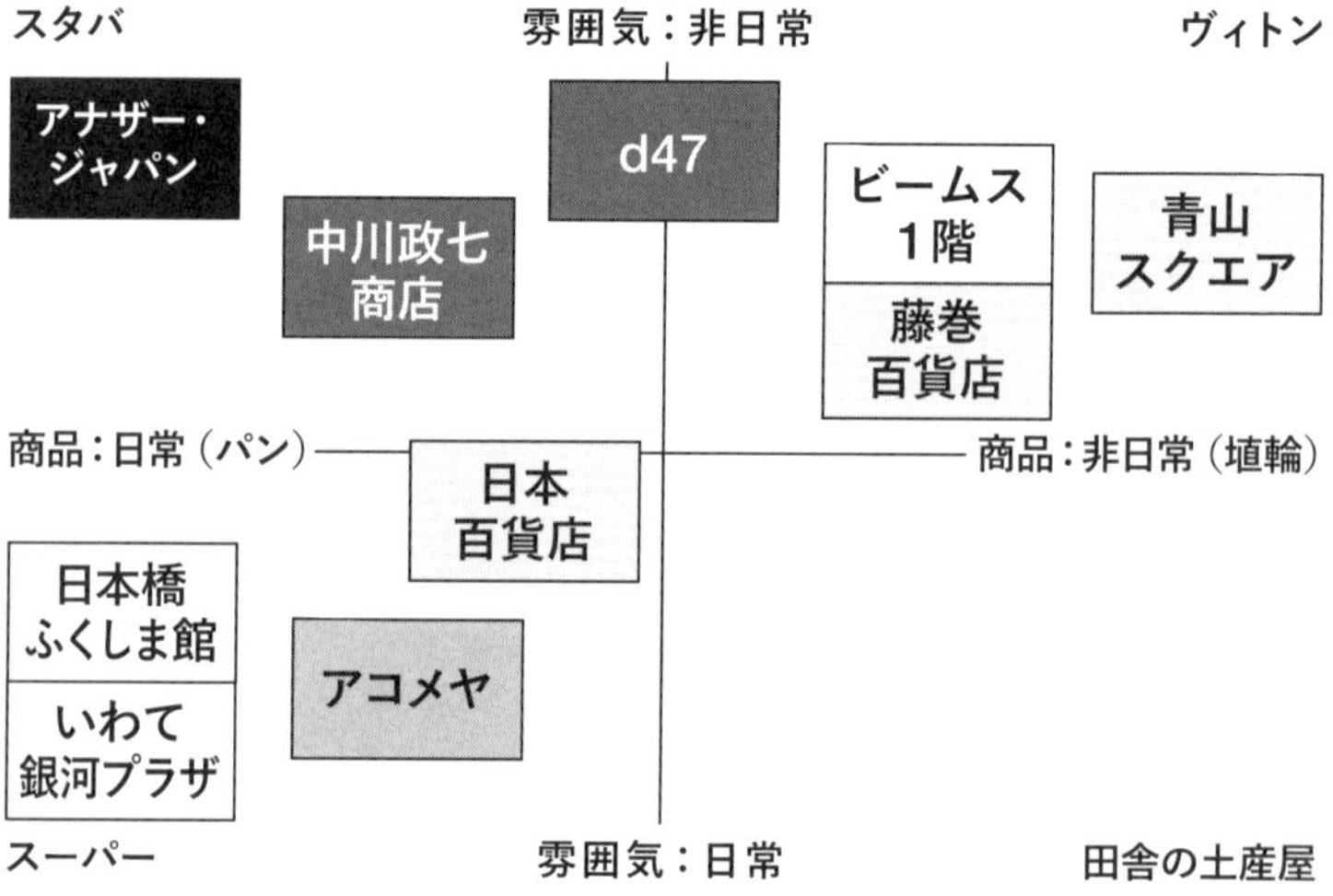

なくて、パッケージとか、デザインが非日常であれば、それも売れるんじゃないかと思いました。

勝ち筋につながるポジションとは?

厳しいことを言うと、**ポジショニングによって差別化につながるというところまでできていないと意味がありません。**日常品となるとどうしても食品比率が上がりますが、食品は利益率も単価も低い。売り上げのボーダーラインが200万円ならいいけど、500万円なのでこれは厳しいだろうと思っています。

みんなの整理の中で、ピンときた案を発表します。1つは、キンキチームの「コミュニケーション量」と、カントウチームの「メッセージ性」。両方とも、コミュニケーションの話ですよね。旅行商品は置いてあるだけでは売れないし、コミュニケーションは絶対必要です。なんたって、みんなが現地に行って買い付けることが圧倒的に強みのポイントだと思うので、1つの軸としてありだと思います。

チュウブチームの「懐かしさ／新しさ」のアイデアは、このプロットでうまく取り切れるかどうか分からないけど、そこのバランスみたいなことはあり得る。ホクトウチームの商品の「日常／非日常」や、キュウシュウチームの「オーソドックス／ユニーク」も捨てがたいです。みんなが自分以外のチームでピンときた、おもしろいと思ったアイデアがあれば教えてもらいたいです。

チュウシコク　コミュニケーションという軸で、みんなの熱量で圧倒的に押し切ることができるのは、僕たちだからこそのストロングポイントだと思いました。

そうですね。ここは明確な差別化につながりそうです。押さえておきましょう。

コンテンツの3レイヤー

2つ目は「コンテンツの3レイヤー」

次は、コンテンツの2つ目のフレームワーク、「コンテンツの3レイヤー」です。何をブランドと感じるかは、時代とともに緩やかに変わっています。**具体的には、プロダクト→ライフスタイル→ライフスタンスと変わってきました。**

みなさん、「Allbirds」という靴のブランドを知っていますか？　環境配慮を打ち出しているブランドの代表例です。ここにもAllbirdsの靴を履いている人が2

各チーム の軸のまとめ

	軸（縦➡横の順）	ポジション／どう勝つか
ホッカイドウトウホク	「雰囲気の日常／非日常」。商品の「日常／非日常」	雰囲気は非日常、商品は日常にしてスターバックスのサードプレースのような場所に。
カントウ	「自社ブランド／セレクト」。「メッセージ性が高い／低い」。	商品の背景などをたくさん説明してメッセージ性の高い店に！
チュウブ	「Made in Japanで括る/都道府県の産地を強調」。「懐かしい／新しい」。	懐かしさと新しさは両方提供し、それを都道府県ごとに違いを打ち出す。
キンキ	「食品比率が高い／低い」「コミュニケーション量が多い／少ない」	コミュニケーション量を圧倒的に多くする！
チュウゴクシコク	「食品比率が高い／低い」。「ヤング（20代）／シニア（60代）」。	ヤングな雰囲気を全力で！ 食品比率はバランスよく。
キュウシュウ	「コト／モノ」「商品がオーソドックス／ユニーク」	「こと／もの」はバランス、商品を圧倒的にユニークに。誰も知らないものを仕入れる。

人もいますね。でも、30年前だと、有名なブランドにならなかったんじゃないかと思います。ブランド価値がプロダクト偏重だった時代に、環境配慮というコンセプトがどこまでブランド力を持てたかは分かりません。

ブランド価値は時代背景に合わせて少しずつ変わってきているんですよ。百貨店がブランドの象徴だった頃ってモノが不十分で、商品の品質がいいことがブランド価値でした。その時代は、紙袋に百貨店のロゴが入っていれば「安心」だったわけです。しかし、モノがあふれる時代を経て、「渋谷109」のカリスマ販売員とか、安室奈美恵が着た洋服が売れるとか、ブランド価値が「憧れ」だった時代もあります。

次にやってきたのが、ライフスタイルの時代です。これは大きな変化で、これについていけなか

ブランド価値の時代変遷

プロダクト ➡ ライフスタイル ➡ ライフスタンス

安心 ➡ 憧れ ➡ 共感 ➡ 信頼

ったのが、日本の大手電機メーカーです。家電やパソコンって、技術も値段も海外勢より優れていたのに、ライフスタイルや世界観をつくれなかったんです。プロダクトの時代には、スペックを追求して日本勢が勝てましたが、アップルは世界観で勝った。そこに、ほとんどの日本企業はついていけませんでした。次に出てきたのが「共感」です。今は、ライフスタイルに対する共感がメインの価値だと思います。

そして、さらに次の時代がどうなりつつあるのかは、例えば、数年前のアメリカでの白人警官が黒人を殺してしまった事件の直後にNIKEやNetflixは、「人種差別に反対です」というメッセージを出している。30年前であれば、靴やコンテンツを売っている会社が、人種差別に反対という広告を出す必要はなかったでしょう。**今は、ライフ**

3レイヤーの整理

ライフスタンス	会社	ビジョン	思想	ヒト
ライフスタイル	ブランド	ブランドコンセプト	世界観	コト
プロダクト	商品	プロダクトコンセプト	組み立て	モノ

スタイルも大切だけど、ライフスタンスも問われる時代になっていて、だからＮＩＫＥはそこを言う必要があった。時代を捉えていると思います。

Allbirdsも、環境配慮をプライオリティーの一番上に持ってきています。もうそれはライフスタイルで捉えきれるものではなく、思想であり、価値観です。僕らはそれをライフスタンスと呼んでいますが、そこに対する「信頼」が、店頭で商品を手に取るときに影響しているのです。

こういう考え方はまだ、日本では浸透してはいません。例えば、「環境配慮をしているブランドの商品を、値段が少々高くても買いますか」と各国でアンケートを取ると、「イエス」の比率は日本は低い部類だそうです。けど、みんなの世代だとまさにそういう価値観を強く持っているだろうし、ライフスタンスが重視される時代が日本でも

ブランド価値の時代変遷

	安心	憧れ	共感	信頼	未来
ライフスタンス	0	0	0	1	3？
ライフスタイル	0 →	3 →	6 →	5 →	3？
プロダクト	10	7	4	4	4？

始まりつつあります。今だと、プロダクト、ライフスタイル、ライフスタンスが4：5：1くらいのバランスだけど、これがそのうち、4：3：3くらいになるんじゃないかなと思います。

みなさんもアナザー・ジャパンを「プロダクト」「ライフスタイル」「ライフスタンス」の3レイヤーで整理してみてください。そして、どのレイヤーで勝負するのがいいのかも併せて考えてみてください。

ブランドの組み立て

コンテンツの3つ目のフレームワーク

ライフスタンスやビジョンの話に続けて、「ブランドの組み立て」の話をします。これが、コンテンツの3つ目のフレームワークです。これができれば、競争戦略がほぼ出来上がります。今、ビジョンと競争戦略に手が届きかけている状態です。

筋のいい競争戦略とは、長くて太くてストーリーになっているものです（※次ページの注釈）。それをどうやって見つけていくかというと、「歴史・背景」と「志」「らしさ」をぐるぐると考える。すると、種がいっぱい出てきます。地域とか未来とか若者とか、いろんな種があるし、歴史的な背景や場所的な背景、ここでいえば東京駅とか常盤橋とかもそうです。

らしさについては、今のところ確定しているのが、ロゴやネーミング、食品と非食品、モノもコトも扱うセレクトショップで、2カ月に1回、品ぞろえが変わる企画展という独自性があります。常にお祭りのような感じで、「静」か「動」かでいえば、「動」。これが、アナザー・ジャパンのらしさです。

これまで議論してきたように、アナザー・ジャパンの特徴は山のようにあると思います。下ごしらえしてきたものを使って、どうやって料理をつくるか。上手につなぎ合わせると、太くていいストーリーになる。ライフスタンスも含めて、強みを生かしながらアナザー・ジャパンの筋のいいストーリーをつくる。これが、競争戦略の核です。

筋のいいストーリーとは何か?

じゃあ、何が太くて筋のいいストーリーなのかってことだよね。ここで、中川政七商店の競争戦略の話をします。中川政七商店は、「日本の工芸を元気にする!」というビジョンを掲げています。日本の工芸メーカーの廃業が加速して、地方の

私の競争戦略に対する考え方は経営学者・楠木建氏から大きな影響を受けている。『ストーリーとしての競争戦略　優れた戦略の条件』(楠木建著、東洋経済新報社、2010年)はぜひご一読いただきたい。

産業がどんどんなくなっている。僕たちは、日本の工芸が100年後も残っていくようにしようと考えました。

10年前くらいに、「日本のもの」の小さなブームが来たんですよ。日本のものを扱うセレクトショップがちょっと増えました。でも、続かない。なぜかと言うと、メーカー側がつぶれていくし、あまり多く作れない。供給が安定しないので、どの店も伸び切れなかったんです。

中川政七商店は、そのちょっと前から、日本の工芸の再生支援を始めていました。協業して商品を作って工芸メーカーを支えるだけではなく、直接、経営再建に乗り出そうとしました。最初にコンサルティングした波佐見焼のマルヒロ（※次ページの注釈）がその後、V字回復を果たしました。そのときに、そもそも当時は赤字の企業だったから、

競争戦略の核は筋のいいストーリー

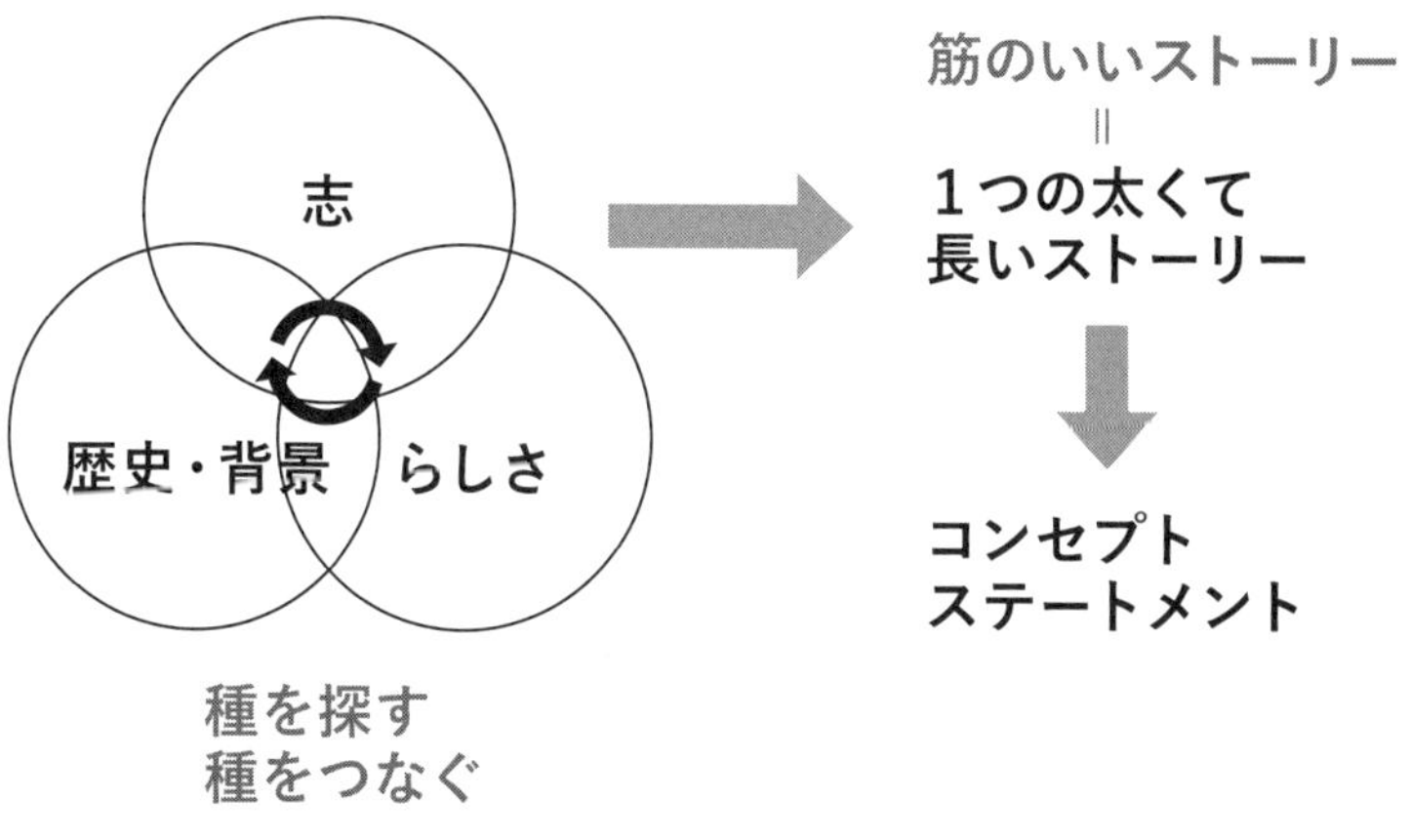

コンサルティングフィーは前払いではなく出世払いというビジネスモデルにしました。短期的な収益にはつながらない取り組みでしたが、そのおかげで今、うちのお店の商品ラインアップにはマルヒロが加わっています。中川政七商店はもともと麻屋なので、それまでタペストリーやバッグなどの布もののオリジナル商品が目立っていましたが、マルヒロのおかげで焼き物という品ぞろえが充実しました。その次のコンサルティングで包丁がラインアップに加わって、それを繰り返すことで日本の工芸全般をたくさん扱えるようになって、どんどん暮らしを支えられるようになってきた。日本のものを扱うほかの店とは、そういう違いができてきました。

自社商品に加え、こうしたパートナーブランドが増えることで、商品供給も安定して、中川政七商店の店舗数を伸ばすことができました。コンサルティングが結果的に店舗拡大にもつながって、それによって商業施設でもいい場所を確保できるようになって、店舗を大型化できて、多くの人に知ってもらえるようになった。ビジネスが社会課題に直結しているので、メディアに取り上げてもらえるという好循環も生まれました。これが、筋がいいストーリーです。もちろん、100%意図してできたわけではないけど、70%は意図してやってきたことです。

焼き物の波佐見焼で知られる長崎県波佐見町の産地問屋。コンサルティングから生まれたブランド「HASAMI」を筆頭に、カルチャー色の強い陶磁器メーカーとして成長し、近年の波佐見焼の大躍進の立役者に。

アナザー・ジャパンの場合には、種はもうありますよね。ポジショニングマップで独自性も出せそうだと分かっています。仕入れも販売も、自分たちでやる。今まで議論した中で勝てそうなポイント、役立ちそうなポイントはいっぱいあります。幾つかの魅力的なポイントをピックアップすると、いいストーリーになると思います。ビジョンやコンセプトを検討したのちに、まとめていきましょう。

あと、コミュニケーションの話が幾つかありますが、それはコミュニケーションパートに託したいと思います（10章）。

6章

ビジョン

〈この章のポイント〉

1. ビジョン＝ライフスタンスのレイヤー。
コンセプト＝ライフスタイルのレイヤーとは区別する。

2. ビジョンでは「自分たちが何を成し遂げたいか」を宣言する。

3. ビジョンの主語は私（たち）。発信者が背負わないと熱量が伝わらないし、機能しない。

ビジョンのつくり方

ビジョンとは何か？

5章で整理した通り、プロダクト、ライフスタイル、ライフスタンスという3つのレイヤーに分けて考えると、プロダクトは仕入れる商品です。ライフスタイルは世界観。お店のインテリアだったり、常盤橋の雰囲気だったり、ロゴだったりも寄与してくると思います。そして、ライフスタンスというのはビジョンです。

ビジョンは簡単に言うと、**このお店で何を成し遂げたいのか**という話です。1章でも触れましたが、**ビジョンというのは「自己実現」「社会貢献」「利益追求」の3つの重なりの上にあるもの**。ぜひそれぞれを意識してください。

ビジョンをつくるときの注意点は多々ありますが、今日は絞って3つ伝えます。それは、ビジョンを「**聞いてテンションが上がるか**」。「**背負えるギリギリの範囲か**」。あとは、「**社会課題に連結しているか**」です。

アナザー・ジャパン・プロジェクトのビジョンは、「日本の未来に灯りをともす」ですが、お店としてのアナザー・ジャパンのビジョンは何がいいでしょうか。これから20分間で考えてみてください。頭のレイヤーを切り替えて、どういう店であるべきかのビジョンを議論して、発表してください。

カントウ・キュウシュウ　私たちのチームが考えたのは、「生産者の顔が見える商品を届け、地域との温かい繋がりを感じさせる空間に。個々人と地域のハブをセトラーとして担う」です。それぞれのビジョンがあって、キーワードを考えたときに、地域であったり世代・時代だったり、昔から今にかけて紡いできたもの、眠っていたものを呼び起こす。地元愛を形にしたいというライフスタンスとして、このような言葉になりました。

「個々人と地域」の「個々人」は誰を指していますか。

ビジョンをつくるときの注意点

- **テンションが上がる**
- **背負えるギリギリの範囲**
- **社会課題に連結する**

カントウ・キュウシュウ　お客さんです。

お客さんと地域をつなぐハブとしてのお店ということですね。分かりました。次はチュウブ・チュウシコク、行きますか。

チュウブ・チュウシコク　最初の切り口は、若者としてどのような思想を持っているのか。Z世代は環境意識が高いのが当たり前。そんな中で、僕たちも生産者さんの幸せも大切だと思うんですが、日本人の幸福度はあまり高くないと感じています。アナザー・ジャパンに取り組んでいく中で、どういう状態が幸せなのか。日本の幸福度が上がるというと大きな話ですが、心の豊かさにアプローチできたらいいと思います。

各チームのビジョン案（１回目）

カントウ・キュウシュウ

生産者の顔が見える商品を届け、地域との温かい繋がりを感じさせる空間に。個々人と地域のハブをセトラーとして担う。

チュウブ・チュウシコク

日々の生活の中で、幸せの沸点を増やす（低くする）。

ホクトウ・キンキ

「おかえり、いってらっしゃい」

なるほど。幸せは、重要なキーワードになりそうですが、抽象的で、あまり言語化が進んでいないように見えます。もう少し仕上げてもらいたいです。次は、ホクトウ・キンキお願いします。

ホクトウ・キンキ　課題を自分事として捉えるために、テンションが上がったり、社会課題とどうつながったりするかを考えました。社会課題の1つに、若者の地元離れがあります。地元に興味がない人に対しては、アナザー・ジャパンに来てもらって新発見してもらう。地元が好きな人に対しては、再発見。それが、「おかえり」という言葉とも合うんじゃないかと考えました。

カントウ・キュウシュウ　「おかえり、いってらっしゃい」は、自分に言われているようで、すてきな言葉だと思いました。

チュウブ・チュウシコク　私も、ホクトウ・キンキの「おかえり、いってらっしゃい」がいいなと思いました。地元の一人ひとりの顔が浮かぶというか……。

みなさんの中では「おかえり、いってらっしゃい」が人気ですね。ですが、この時点でフィードバックしますが、「おかえり、いってらっしゃい」はコンセプトとしてはありですが、ビジョンにはならないと思います。ビジョンとコンセプトの違いは何かは7章で詳しく伝えますが、**自分たちが主語で何を成し遂げるのかを語るのがビジョン**、**お客さんに向けて活動や提供価値を要約するのがコンセプトです**。「おかえり、いってらっしゃい」は、お客さんに伝える言葉としては機能しますが、「自分たちが何を成し遂げるか」は語れていませんよね。着眼点や切り口はいいと思いますが、「おかえり、いってらっしゃい」というワード自体はコンセプト策定までとっておきましょう。

存在意義を宣言する

3チームの発表の根っこの部分にある共通の考え方は、生産者の顔と人と人のつながりといった話と、幸せの話と、郷土という話ですね。

僕が感じたことを率直に言うと、これまで積み重ねてきた議論からは、幸せというのはやや唐突な感じがします。もう少しかみ砕いて言語化してほしいです。どれが正解ということはありません。18人全員でこういう店にしようと、心を

1つにできるものがみんなのビジョンになる。ただ、ビジョンというのは合議ではなかなかできません。よく「みんなの言葉をつなぎ合わせよう」といった進め方になりがちなのですが、それでは熱のこもったビジョンはできないと思います。それぞれが必死に考えてたくさん案を出しているうちに、どこかでみんなの心が1つになるようなワードが誰かから出てくると思います。そこにたどり着きたい。なので今までの議論を踏まえてもう一度、各チームで考えてみてください。次は、1つに絞り切らなくてもいいです。20分考えてみてください。

――(ワーク後、ビジョン案が出そろう)

おつかれさまでした。まだ全員がピンとくるものは出ていないかな。みんなが挙げてくれた案の中には、まだコンセプト的なものがありますね。そこにばらつきが出てしまっているので、もうちょっと精度を上げていきましょう。ビジョンが伝えるのは「結局、何をしたいのか」。アナザー・ジャパンというお店の**存在意義の宣言**であってもらいたいです。

ビジョンをつくるうえでのコツをもう一つ伝えます。「アナザー・ジャパンが、

各チーム のビジョン案（2回目）

ホクトウ・キンキ

- 『リトル・ニッポン』故郷を離れた全ての日本人の帰る場所・第2の故郷を見つける場所
- 地域ごとのワクワクが日本中に詰まっていることを伝える
- つながりを紡ぎ、価値の再発見を運ぶ
- みんなのまちをみんなに届ける
- 「ぬくもり」「ときめき」が混ざりあう場所、ここからはじまる
- 心の故郷。日本人全員が「ただいま」と言える場所

チュウブ・チュウシコク

- すべてのお客さんに地元の温かさをお届けする
- 日本の若者の、地域への愛と誇りを魅せる
- 各地方のエネルギーを東京から再発信・再伝達する
- 誰もがいつでも里帰りできる空間を提供する
- 地元・地方を（より）好きになってもらう

カントウ・キュウシュウ

- どこにいても好きな地域と繋がれる、そんな故郷のはじまり
- 初来店でも感じてもらえる「あぁ、帰ってきた」
- 東京に「未来の明るい日本の縮図」を作る
- 全国のネットワークで新たな桃源郷を創る

こういうことをする」という**動詞**になっていてほしいんです。中川政七商店のビジョンも「日本の工芸を元気にする！」ですよね。**動詞にすることが成し遂げたいことの宣言につながります**。

ビジョンの決め方

アイデアの整理

18人もいると、まとめるのは難しい。ここで一度、みんなに書いてもらった案を構造的に整理してみましょう。

結局、みんながビジョンで何を言わんとしているかというと、「誰に・何を・どうする」ということだよね。それぞれ、言葉の内容や順番を変えながら、そういうことを書いている。

まず「誰に」ですが、対象を「お客さんに」って書いている人がほとんどですね。一部、「生産者に」と書いている人もいますね。

「何を」ですが、愛、未来、若者、故郷、つながり、誇り。プロダクトの議論のときにも、モノよりもコトという意見があって、小売業をやっているのでモノを売っているんだけど、みんなの意識としてはコトを届けたい、渡したいんだろうなというのがこの整理からも見えてきました。

「どうする」のところは、伝える、届ける、元気にする、力になるといったことです。

とっかかりとして、一部、生産者と書いた人もいましたが、セレクトショップなので、ターゲットはお客さんでいいかな。なので、この「お客さん」のところを深掘りしたいと思いました。そこで、もう1段階、解像度を上げると、どう分解できるかな。それも、アナザー・ジャパンらしい分解をしたいです。アナザー・ジャパンらしいお客さんの分解の仕方って、何でしょうね。

例えば、オープニングはキュウシュウ展で、そこにやってくるお客さんは、何と何に分けられるんだろう。パッと思いつく人、いますか。

ビジョン案の整理

誰に	お客さんに 生産者に
何を	好き、愛、幸せ 未来、若者 故郷、つながり、誇り ＝モノ＜コト
どうする	伝える、届ける 元気にする、力になる

キュウシュウ　九州出身の人か、そうじゃない人だと思いました。

そうですね。キュウシュウ展をやっているときに、九州が地元なのか、そうでないのかというのが、アナザー・ジャパンらしい分け方だと思います。お客さんを地元と非地元に分けたときに、地元のお客さんに何を届けて、地元じゃないお客さんに何を届けるのか。それは、商品には違いないんだけど、何を届けてるんだろうね。

キンキ　地元の人には故郷の懐かしさを、非地元の人には新しい、その場所に行きたくなるような魅力だと思います。

じゃあ、地元の人にとっての懐かしさって何だろう。非地元の人にとっての新しい魅力って何だろう。もっと深掘りして、誰に何を届けるのか。まとめられる人いますか。

キュウシュウ　「懐かしさと、新しい発見を届ける」はどうでしょう。

よさそうですね。みんな、特に違和感ない？　じゃあ「懐かしさと、新しい発見を届ける」、これでビジョンは完成ですか。これでいいんじゃないかと思う人は、どれくらいいいますか。

――（学生たち挙手なし）

手が挙がりませんね。その理由を考えていきましょう。

ビジョンは「自分たちが何を成し遂げたいか」

手を挙げなかった理由を教えてください。

ホクトウ　ビジョンっていうのは、みんなで目指す目標みたいな存在だと思います。今の文章だと「懐かしさと新しい発見を届ける」のがゴールになってしまっていますが、その先があるように思います。日本の伝統工芸の魅力を伝えるとか、職人さんにフォーカスを当てるような、もっとバックグラウンドに着目するようなところがあって、このビジョンには、その先が示されていないと感じています。

素晴らしいですね。アナザー・ジャパンは、お客さんに商品を売っているんだけど、それだけじゃない。表面的には地域産品を売って、同時に、懐かしさと新しい発見を届けることも目指している。でも、それだけが自分たちの仕事、目指すところじゃないよね。

じゃあ、それは何だろう。このお店を開いた結果、みんなが何を成し遂げたいか。そこに今のところ、意思や志が感じられないので、みんなが手を挙げられなかった。それは、「もっと大きな志を持ちたい」という、みなさんの意思表示ですよ

何を成し遂げたいかをビジョンにする

懐かしさと新しい発見を届け、

ね。だから、懐かしさと新しい発見を届けて、その先に何があるのか。そこが明確になれば、アナザー・ジャパンのビジョンは完成すると思います。それではそこをもう一度、みんなに考えてもらいたいです。

個人で考えてもらうのがいいと思う。ひたすらいろんなことを考えて、その過程も記入して残しておいてください。10分たったら、これだという文章を発表してください。

ここでもう一つ、注意点。**お客さんに媚びないことが大事です。**ビジョンは、自分たちが何を成し遂げたいか。だから、主語はあくまでも自分たち。自分たちがどうしたいかを、なるべく端的に書いてください。

ビジョンの再発表

・全ての人が一体となった地域社会を実現する
・日本の地方を元気にする
・それぞれの出自を誇りに思う
・懐かしさと新しい発見を届け、日本を知ることの楽しさを見いだす
・日本中の人と土地を結びつける

・フロンティアスピリットを伝播する
・日本の希望を示す
・懐かしさと新しい発見を届け、日本の価値を具現化する
・日本中に眠る可能性を掘り起こす
・東京と地方が混ざりあう日本をつくる
・ここに来ればつながれる。第2の故郷をつくる
・東京に第2の故郷をつくる
・地方が輝く循環をつくる
・東京と地方の土地・物・人を結ぶ架け橋となる
・地方と心理的境界を縮める
・日本にわくわくできる未来を創造する
・「日本」を共有する空間を創出する

今、みんなが考えてくれたのを見て、ピンときた案はありましたか。ここはみんなの意思次第。みんなで決めてもらいたいと思います。もちろん、今、出た中から選ぶだけじゃなくて、誰かの言葉と誰かの言葉をくっつけるとか、さらに磨

いて言葉を変えるとか、そういう視点で、もう1回見てみてください。何か意見はありますか。

キンキ　「日本の希望を示す」「日本を知ることの楽しさを見いだす」「日本にわくわくできる未来を創造する」。この3つに共通しているのは、明るい未来につながっている、日本を明るくしている感じがするっていうところがいいなと思いました。

みんなの意見を聞いて分類すると、「日本」というワードと、「地域」「地元」というワードの2種類が出てきますね。みなさん、どっちがいいですか？

ホクトウ　私は、アナザー・ジャパンなので日本がいいです。

この問いに正解はないので、自分たちで判断してください。では、日本と思う人は手を挙げてください。

――（挙手やや多め）

うん。じゃあ、地域だと思う人は？

――（挙手やや少なめ）

地域のほうが少ないね。なるほど。

ビジョンは自分たちが背負い切れる大きさ

ビジョンをつくるときの大切な視点として、「**自分たちが背負い切れるギリギリの大きさ**」というものがありましたね。中川政七商店のビジョンは、「日本の工芸を元気にする！」です。これを、例えば「日本のものづくりを元気にする！」と言ってしまうと、自動車も家電も、国内のあらゆるものづくりを含んでしまって、それを全部、中川政七商店が元気にすることは難しそうですよね。

アナザー・ジャパンのビジョンとして、日本ではなくて地域のほうがいいということを言いたいんじゃなくて、日本の未来というと大き過ぎるかな？どうかな？ちょっと考えてみてください。

目標は大きければ大きいほどいい、と言う人もいます。でも、**責任を負わない**

のであれば、ビジョンの意味がない。実効性がないビジョンになってしまいます。だから、ビジョンに日本というワードを掲げるからには、本当に日本を背負う覚悟を持たないといけないんですけど、大丈夫ですか。

みんながやっているのは、新しさと懐かしさを届けるのが具体的な事業ではありますが、それをやることで、どこまで背負うことができるか。それが、地域でも日本でもどっちでもいいですが、**背負った以上はそこに届くための理屈をつくっていかないといけない**。その観点で意見はありますか。

チュウシコク　自分は、地域のほうがいいと思っていましたが、今は日本の希望を示すがいいなと思っています。日本の希望を示すってことは、地域や地域の特産品について伝えることもそうだし、地域以外の人、その地域出身ではない人でもそう。若い人が日本をつくっていくという意味でも、可能性を感じられるのでしっくりきています。

ほかには？

キンキ　私は、地方がいいと考えていました。その理由として、アナザー・ジャパンの場合には、2カ月ごとに地域が変わるので、それぞれの地方を元気にしていくと、トータルとして日本全体が盛り上がることにつながります。だから、どちらかというと日本の中でも地域という細かい分類をまず元気にすることで、最終的に日本全体を元気にできると思います。

カントウ　私もその考え方に似ていて、一人ひとりとか、各チームが背負うのは地方ではありますが、アナザー・ジャパンの特徴は、全国各地から集まってきた学生が経営する店だということです。一人ひとりはそれぞれどこかの地域を担っているけど、それが合わさったら、日本を背負えるんじゃないかと思いました。

地域の集合が日本だという考え方ですね。「日本」の定義次第ですね。いろんな地域の集合と捉えれば、日本を単位としてもいいかもしれない。もしくは、ナウ・ジャパンのように「東京とその他の地域の集合」と捉えれば、地域を背負うと伝えたほうがいいのかもしれない。どっちが違和感ないですか。

キュウシュウ　私たちが目指そうとしているのは、いろんな地域の集合としての日本のほうなのかなと思います。

今の意見を踏まえてどうですか。日本を背負うということは、つまり各地域を活性化させることが日本を活性化させることにつながる。だとしたら、最終的には日本を背負うという理解でもいいですね。地域のほうに手を挙げていた3人も、大丈夫ですか。まだ、地域のほうがしっくりくる？　どうですか？

キンキ　その定義ができれば、日本を背負うでいいと思いました。

じゃあ、これからは日本を背負うということで、みなさんよろしいでしょうか。アナザー・ジャパン・プロジェクトが、「日本の未来に灯りをともす」というビジョンを掲げているので、アナザー・ジャパンという小売事業のビジョンも日本で違和感ないよね。小さくする必要はないと思います。

そこが決まったら、さっきみんなが出してくれた案の中で、ピンとくるものに手を挙げてもらって絞り込みましょう。地域とか、東京とか地方と書いてあるところは、日本に読み替えてもらうといいと思います。

多いのが、「希望を示す」とか、「わくわくできる」「未来を創造する」。では、わくわくできる未来って何ですか。

キュウシュウ　これを思いついた経緯が、私が留学や海外旅行を通じて、将来どこに住みたいかと考えたら、海外がいいなと思うことが多くて。でも、なぜ海外にわくわくしていて、なぜ日本だとわくわくできないかという問いの答えがポイントだと思いました。

ほかのみんなも、わくわくできる未来をつくるというと、その実現に向けて動いていく必要があるよね。その中で、わくわくが抽象的で説明がつかなかったら、そこに近づくことができません。もしくは、近づいたと感じにくいということは、ビジョンとしてワークしないですよね。だから、「**わくわく**」**をさらに分解して、もっと言語化できるといい**。さっきの話だと、海外にはわくわくはあるけど、日本にはわくわくはないのかな?

キュウシュウ　ないというわけではないので、ないものねだりみたいなところもあるのかもしれません。今、自分の目の前にあるものに、楽しさや魅力を見いだせていないのかもしれません。これは、地域についても一緒だと思います。まだ気づいていないよさを発掘することも一つのわくわくかなと思います。

隣の芝生は青く見えるじゃないけど、知らないところに行くとわくわくするよね。日本でも、知らない土地ならわくわくする？　わくわくは要するに、知らないものに出合うことですかね。日本にも知らないことがいっぱいあるので、日本のいろんな地方の企画展をすることでわくわくにつながるのかもしれないね。

ほかの単語で、「希望を示す」は誰が書いたのか

学生たちの投票結果

『懐かしさと新しい発見を届け、』につながるワードは？

⬇

- **日本の希望を示す**……5票
- **日本中に眠る可能性を掘り起こす**……2票
- **（東京と地方の土地・物・人）日本中を結ぶ架け橋となる**……2票
- **日本にわくわくできる未来を創造する**……3票

な。ここで言う希望って何ですか？

ホクトウ　抽象的ですが、イメージとして目指すところは、若者が将来に楽しみを見いだせないみたいな意見がある中で、アナザー・ジャパンの活動をいろんなところで目にすることで、活気が出てきたなとか、これから楽しくなりそうな予感がするみたいな気持ちを、希望と示しました。

「希望」って、辞書で調べると、将来に寄せる見通し、期待とあります。希望は、期待であり、予感であり、少し先のことって意味だよね。未来に向けて日本をこうしていくんだという、みんながグッとくる言葉を見つけてもらいたいんだけど、それが「わくわく」なのか「希望」なのか、もしくは「第2の故郷」なのか。その言葉が持っている雰囲気に対する期待感、共感が獲得票数に出ていると思います。材料はそろってきているけど、さらにもう1段階ブレイクダウンした、芯を食った言葉を考えてもらいたいです。

ビジョンの主体はあくまでも自分たち

チュウシコク　懐かしさと新しさを届けるというのも一方的な感じがして、関わってくれた人たちとの双方向というか、インタラクティブ感が欲しいので、共につくるような言葉を考えたいなと思いましたが、どうでしょうか。

主語の広がりが、みんなでというのもあり得るよね。でも、例えば、中川政七商店の話で言うと、「日本の工芸を元気にする！」というビジョンに共感してもらえている人は多いと思うんだけど、僕たちは本気で、真剣に、「何としてでも元気にする！」と思っているけど、「それっていいことだよね」「応援しているよ」という人との主体性には開きがあります。

日本の未来が明るくなればいいと言うと、みんな、それはいいことだと感じますよね。でもそれって、世界から戦争がなくなればいいって言っているのと同じで、**ビジョンの発信者が背負い切っている感じがないと、ビジョンとして機能しないと思うんだよね。**そこはやっぱり、熱量が違うと思う。

誰かがこれを本気でやり遂げるんだと思わないと、100人の応援があったところで達成されない。「みんなで」と主語を広げるのも1つの正解だけど、一方で、「**私たちが」っていうところは外さない**でもらいたいとも思います。

みんなの関わりも、1期生として期限があるものだけど、マインドは、みんなの心の中に残っていくので、そこの背負い方。達成する覚悟を持つのはあくまでもみんななので、そこは、みんなの言葉で書いてもらいたい。今の議論を踏まえて、もう一度、考えてもらえませんか？

みんなが、これからの活動で届かせられる範囲。一方で、**小さく見積もり過ぎてもいけない。微力ではあるけど、無力ではない。**だから、ここに届かせるんだという気持ちが欲しいです。もう1回個人ワークの時間を取ります。

・日本の希望を実現する
・向き合い続けたい日本を創る
・だれもが好きだと思える日本を作る
・日本をチームジャパンにする
・日本を共有する空間で未来を照らす
・来たる日本への誇りを高める
・つながる日本をつくる
・日本の未来をつなげる

・日本を楽しく見つめ直す
・日本の未来を紡ぐ姿を届ける
・日本の希望を共有する
・今の日本を未来へつなぐ
・日本の未来への共感を生み出す
・日本にトキメキを創造する
・今と未来。日本をつなぐ
・帰ってくる場所をつくる
・日本中に光を当てる

意見を見ると、2つのグループに分かれています。何とかするという行動っぽい話と、もう1つはマインドの話です。好きだと思えるとか、あと、トキメキを創造するとか。再々発表の案は、総じて、少し変化球的になっている感じはありますね。最初の案のほうが直球というか、真ん中を捉えていました。今はもう1回拡散してしまった感じですね。意識が、実際にやろうとしていることの先に、ちょっと行き過ぎているかもしれないね。日本と決めたら地域ではなく日本でいいけれど、ちょっと遠くを見過ぎているかもしれないので、もっと手前に引き戻しましょう。

狙いとしては、東京とその他の地域という捉え方から、「地域の集合体としての日本」という認識の変化を起こすことだよね。そのために手が届く範囲で、「これをこう変える」ことをうまく表現できれば、いいワードになると思います。それを懐かしさと新しさを届けるという小売りを通じてやる。誰が気の利いた言葉を出せるか、最後の5分、もう1回粘ってみてください。

チュウシコク　質問いいですか。視覚的に捉えて表現するのはありでしょうか。地域は点だと思っていて、それが線でつながる状況が、地域の集合としてのもう一つの日本のイメージという考え方はどうですか？

ビジュアルとして捉えることでいい言葉につながるかもしれませんね。「東京だけが高いポジションにある」みたいに、高さで捉えている人もいれば、「東京が中心にあって、その周辺に厚い壁があって、その外に地域がある」と捉えている人もいて、構造としての捉え方があると思います。壁として捉えている人は、「壁を壊す」という表現になるかもしれないし、どういうビジュアルで捉えるかによって、おのずと動詞が出てくる。

自分の場合だと、雑誌のインタビューを受けている気持ちで考えることもあります。「どうしてそのビジョンを思いついたんですか」「それが意味するところは何ですか」という質問に、「いや、実はね……」って答えるときに、引っ掛かりのあるいい言葉が出てくることがあります。それでは、考えてみてください。それぞれ、ピンときたやつに手を挙げてください。

・日本中が主役になる未来をつくる　4票
・日本中を形作る　0票
・日本をボーダレスにする　2票
・日本全体に彩りを持たせる　0票
・日本全国を洗濯する　0票
・日本を丸くする　5票
・日本をまとめ上げる　1票
・日本を47面体にする　0票

・地域同士の垣根を超える　1票
・境界線をなくす　1票
・47都道府県の輪をつなぐ　3票

一番多いのが「日本を丸くする」。あとは「未来をつくる」も多いですね。「ボーダレス」と「境界線をなくす」はイコールだよね。なかなか「圧倒的にこれだ」とならないですが、方向性としては、「丸くする」「境界線をなくす」「束ねる」かな。最後は**言葉としての強さ**。そして、いろんなジェネレーションの人に届く言葉であってもらいたいよね。

ビジョン決定！

チュウシコク　今は東京と地域という考え方があって、その固定観念を破壊してすべての地域を集合させたい。そんな気持ちがあります。

今の日本＝「東京＋その他」でできている。これを、日本＝「地方の集合体」に変えるんだということですもんね。この話って、冒頭で話したアナザー・ジャパン・

プロジェクト全体のビジョンの話とつながってきますね。東京とその他というナウ・ジャパンではなくて、地方の集合体としてのアナザー・ジャパン、つまり、もうひとつの日本をつくろうという話をしましたね。

キュウシュウ　その言葉をそのまま私たちのビジョンに生かすというのはいかがでしょうか。「懐かしさと新しい発見を届け、もうひとつの日本をつくる」というのはどうですか?

「もうひとつの日本＝地域の集合体」として定義すると、みなさんの目指したいことを表現できてそうですね。みなさんとしてはいかがですか?

――(全員、かなり腹落ちしている雰囲気)

アナザー・ジャパン・プロジェクトのビジョン

言葉の強さも感じる、いい文章に仕上がりましたね。お店を通じてお客さんに「懐かしさと新しい発見」を届ける。その先に、「日本＝東京とその他の地域」ではなく「日本＝魅力的な地域の集合体」という認識をつくっていく。言葉の強さも感じるし、コンセプトや競争戦略につながっていきそうです。

こちらでほぼ決まりでよさそうですね。みんなの心が1つになっている感覚がありますね。これを仮のビジョンとして、さらに進めていきましょう。

アナザー・ジャパンの仮ビジョン

懐かしさと新しい発見を届け、もうひとつの日本をつくる

7章

コンセプト

〈この章のポイント〉

1. ビジョンは自分たちの意思、コンセプトは顧客に伝える要約。
2. コンセプトは連想・物語で生み出す。
3. いいコンセプトの基準は「自分たちらしいか」。
4. コンセプトはすべての施策にひも付く。いいコンセプトがいい施策につながる。
5. ワーディングにもこだわる。

コンセプトとは何か？

コンセプトとビジョンの関係性

中川　ビジョンの次は、コンセプトを考えます。両者は混同されがちですが、分けて考えましょう。

ビジョンは、6章でも述べましたが、「自分たちがどうありたいか」「何を成し遂げたいか」という意思を表現するものです。経営には欠かせないものですが、お客さんに伝えるものではありません。例えば、中川政七商店の店舗に「日本の工芸を元気にする！」と掲げられていたら、違和感がありますよね。また、ビジョンは抽象的な言葉になることが多いので、お客さんにはなおさら伝わりづらいです。

そこで、「結局、何をやっているの？」「お客さんには何を提供しているの？」を分かりやすく伝えるための要約が必要です。その役割を果たすのがコンセプトです。**コンセプトを通じてビジョンや世界観を顧客に届けることができます。**

秀逸なコンセプトの例は、ＮＩＫＥの「Just Do It.」です。たった3語で、ＮＩＫＥの目指す世界観を表現できていますよね。でも、「Just Do It.」はビジョンではありません。実はＮＩＫＥは「世界中のアスリートにインスピレーションとイノベーションをもたらす」というビジョン（NIKEの言葉ではミッション）を掲げています。顧客である私たちのほとんどはそのビジョンを知らないですよね。NIKEは「Just Do It.」というコンセプトで顧客とコミュニケーションを取っています。

アナザー・ジャパンにおいても、お店に来てくださったお客さんに「もうひとつの日本をつくる」と伝えてもピンと来ないことが多いと思うし、店頭で長々と説明することはできません。なので、その入り口となるコンセプトを設定していきましょう。

コンセプトは情報の圧縮ツール

中川 コンセプトを考えるに当たり、アナザー・ジャパン・プロジェクトのクリエイティブ・ディレクターであるオフィスキャンプ・坂本大祐さんに講義をしていただきます。奈良県の東吉野村という中山間地域を拠点としてクリエイティブ・ファームを立ち上げ、中川政七商店も多くの仕事をご一緒させていただいてます。坂本さん、よろしくお願いします。

坂本 よろしくお願いします。これまでの議論の様子を見ていて、学生のみなさんの素養が素晴らしいと感じています。なので、「学生に教える」という感覚ではなく、これまでに僕たちが先に見つけてきたことをお裾分けする、くらいの意識でやっていこうと思います。世の中に「コンセプトの定め方」のような体系的な本はたくさん出ているのでそちらもぜひ読んでいただきたいですが、ここではより実践的に一緒に考えていきましょう。

コンセプトって辞書で調べてみると「概念であり、意図、構想、企画、全体を貫く観点」という感じで書いてありました。よく「カタカナを使わずに日本語で言えないのか」とご指摘を受けるのですが、日本語で「概念」って言ってしまうと何かニュアンスが抜け落ちてそうですよね。コンセプトは概念だけど、概念だけというわけでもないということで、そこに込められているニュアンスがポイントです。

先ほど出てきた「**全体を貫く観点**」というのは重要です。例えば、いろんな色、形のものがあったとします。それをコンセプトにするとこんな感じ。ぐちゃぐちゃした中から、同じ色を集めて、そろえるようなことだと思ってください。「あおいもの」とまとめてしまえば、それ以外の要素を見なくてもいいので、言いやすくて、伝わりやすくなります。

これまで、ビジョンとか3Pとか4Cとか、アナザー・ジャパンについてさま

コンセプト＝全体を貫く観点

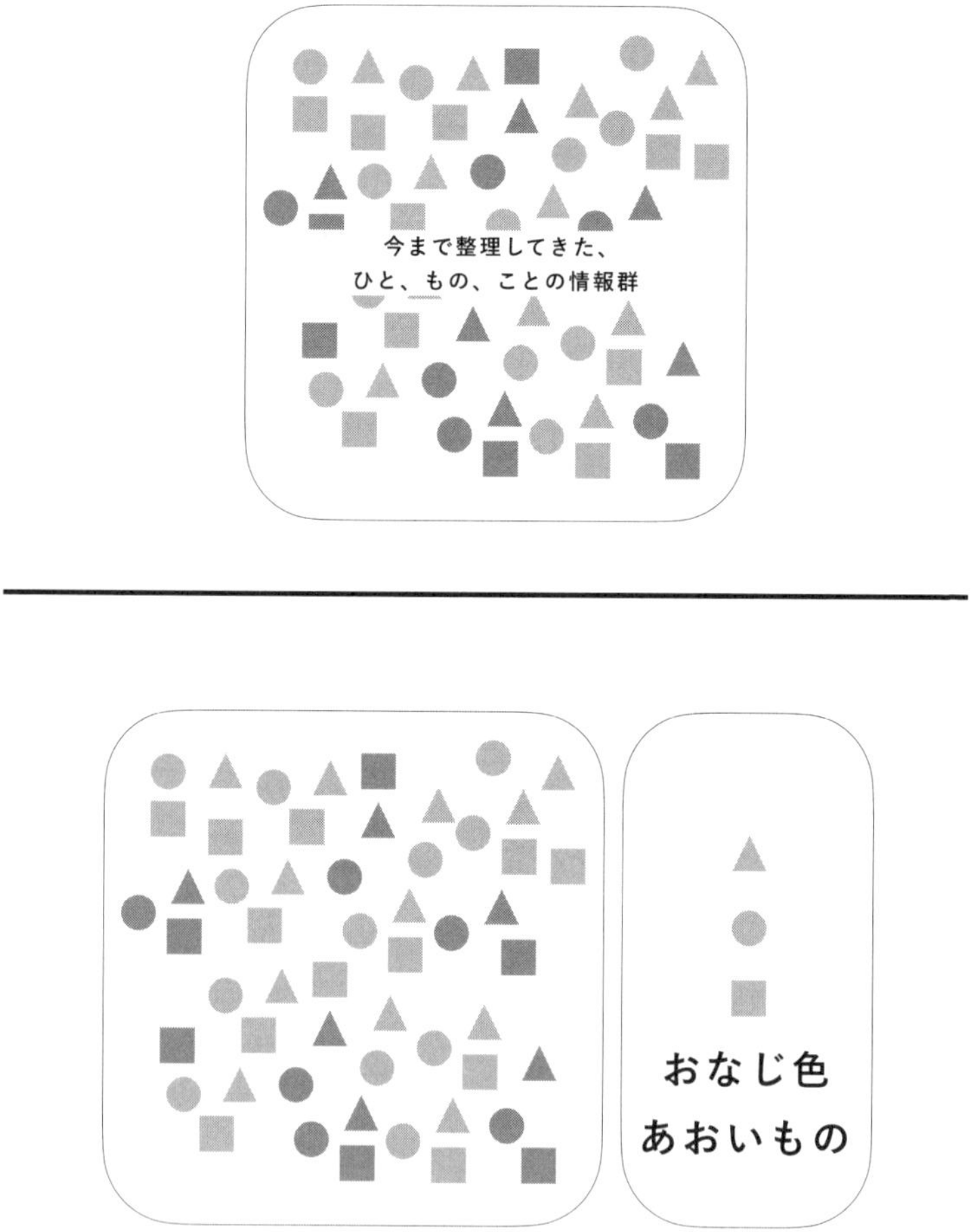

ざまな角度で考えてきました。これから先、いろいろな人たちにアナザー・ジャパンについて説明するときに、これまで検討してきたことを全部伝えなくても、このそろえたところだけを伝えればいいんです。そのそろえたところというのがコンセプトです。コンセプトがあれば、大量にあるローデータを渡す必要がなくなります。コンセプトは、情報の圧縮ツールとして非常に優れています。

重要なのは「全体を貫く」という点です。部分的な説明にならないように気をつけなければなりません。いろんな形・色があっても、この言葉なら貫くことができる。それを見つけるのがコンセプト設計だと理解してもらえればいいと思います。

キュウシュウ　コンセプトにしたときに、どうしても抜け落ちる要素があると思うのですが、放っておいてもいいんですか。

坂本　例えば、アナザー・ジャパンに1日だけアルバイトで来るような人がいれば、その人はコンセプトだけ理解しておけば十分だと思います。でも、経営者であるみなさんは、全体を知っておいてもらいたいですね。

チュウシコク　私たちはアナザー・ジャパンのことを100知っているけど、100を解説するのではなく、100の中から5を選んで端的に説明すること。それがコンセプトってことでしょうか？

坂本　そうです。みんながこれまで検討してきたことをそのまま説明すると1日かかってしまいます。それを1分間で説明するのがコンセプト。だから、情報としては確かにロスしてしまう部分がありますが、短い情報の中で重要なことをきちんと伝えられるのがコンセプトです。

カントウ　コンセプトはどれくらいの抽象度で設定すべきなのでしょうか。抽象的にすれば多くの要素を含められそうですが、伝わりづらくなりそうです。

コンセプトとは何か

コンセプトとは
全体を貫く基本的な観点・考え方

坂本　素晴らしい質問ですね。**具体と抽象のバランスがとても重要です。**例えば、自分が「ラーメン店」というコンセプトでお店を開けば、醤油ラーメンでも、冷やし中華でも、つけめんでも、ラーメンを出せばコンセプトに合致していますよね。でも、「醤油ベースの温かいスープに麺が入ったものを出す店」をコンセプトにすると、基本的には、温かい醤油ラーメンしか出せない。

コンセプトの解像度を上げると、アウトプットがそろってくる。反対に、アウトプットを広げたい場合には、抽象的なコンセプトがいい。コンセプトをレンズのようなものと考えると、ズームしていくと情報が狭くなって、想像の余地が減ってくる。レンズを引いていくと、いろんな情報を入れられるけど解像度は下がる。そのビジネスによって適切に設定することが重要です。

アナザー・ジャパン・プロジェクトのコンセプト

坂本　アナザー・ジャパン・プロジェクトのコンセプトは、「私たちがつくる、もうひとつの日本」と設定しました。これはかなり抽象的ですね。なので補足として、具体的かつ説明的に「学生が本気で商売を学び実践する地域産品セレクトショップ」という言葉も付け加えてあります。全体として長くなっていますが、ズームとパンの両方を取り入れています。このように決めた思考プロセスを解説しておきますね。

　コンセプトづくりを何から始めるかというと、自分たちが何に向かい合っているかという要素を抽出します。アナザー・ジャパン・プロジェクトであれば、「学生経営」「地方創生」「実践教育」という3つの要素を抽出しました。3つより多いと知覚しにくいので、僕は何でもだいたい3つに絞っていきます。

　その3つをさらに分解したり言い換えたりして、要素を膨らませていきます。学生経営を分解すると「学生」と「経営」に分かれます。学生って、地方から東京へ出てきた「日本の未来」とも言い換えられる。最近で言うと「Z世代」みたいな言

コンセプトと解像度の関係

具体

- ズーム（レンズを近づける）
- 解像度が高い
- 情報は多いが想像の余地が減る

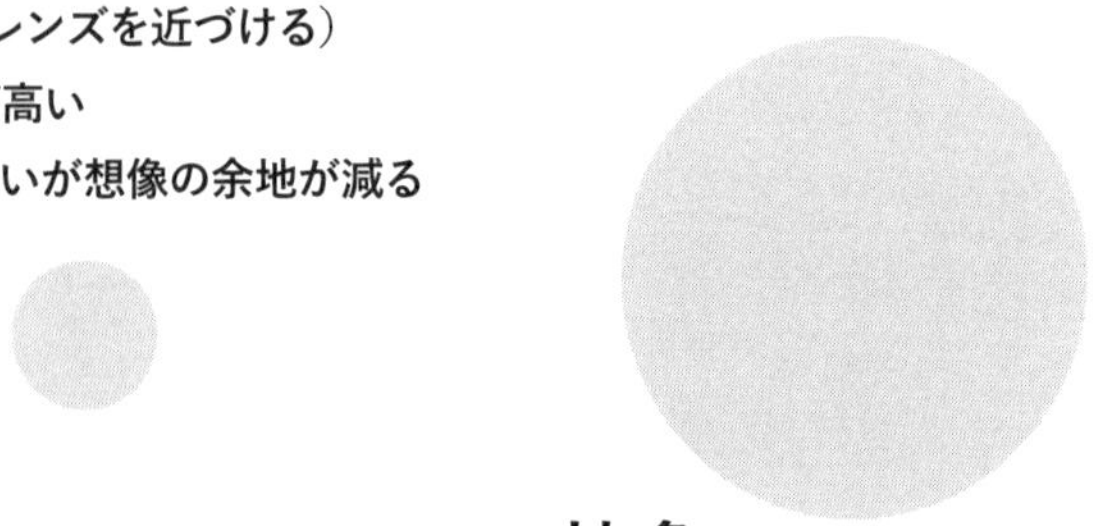

抽象

- パン（レンズを遠ざける）
- 解像度が低い
- 情報は少ないが想像の余地がある

葉とかも入るかも。こういう言い換えは、それぞれ好きな方法でやってもらえばいいんですが、最初はたくさん案を出したほうがいいですね。「経営」も、「組織のマネジメント」「自ら切り開いていく」「決断」とか、こういう要素が出てきました。「地方創生」は「産業の衰退」「郷土愛」、実践教育は「プロジェクト・ベースド・ラーニング」「学校」「学び」みたいなものを挙げました。

次のステップは、こうやって出てきた言葉たちを、**物語的につないでいくんです**。連想していくことが大事です。例えば、こんな感じで物語をつないでみました。

地方から東京へ出てきた学生。故郷を離れて東京にいる。不安があるけど、やる気もある。そこで連想できたのが、「アメリカ大陸の開拓者」。次に、開拓者ってなんだろうと連想する。リトルイ

アナザー・ジャパン・プロジェクトのコンセプトの物語

＞地方から東京へ出てきた学生
⬇
＞故郷を離れ、東京にいる
⬇
＞不安はあるが、やる気もある
⬇
＞アメリカ大陸の開拓者
⬇
＞開拓者はもうひとつの地元をつくった
⬇
＞東京にもうひとつの地元ができると？
⬇
＞もうひとつの地元の集合体
⬇
＞もうひとつの日本

タリーとかチャイナタウンを思い浮かべると、それは「もうひとつの地元をつくった」と言えるかもしれない。今回のプロジェクトに戻って「東京にもうひとつの地元ができるってどういうこと？」って考えてみる。すると、東京はもうひとつの地元の集合体で、新しい国をつくるようなものなのではないか。それは、もうひとつの日本と言っちゃってもいいんじゃないか。地方から出てきた学生が、もうひとつの日本につながった。だから、アナザー・ジャパン。

アメリカ大陸というイメージを思いつくのは連想ゲームみたいなもので、それは、開拓者につながった。それで、アメリカ大陸の開拓者といったん置いてみて、「もうひとつの日本」が出てきた。これが定まれば、クリエイティブや表現に落としやすいし、みんなもイメージしやすくなる。これ

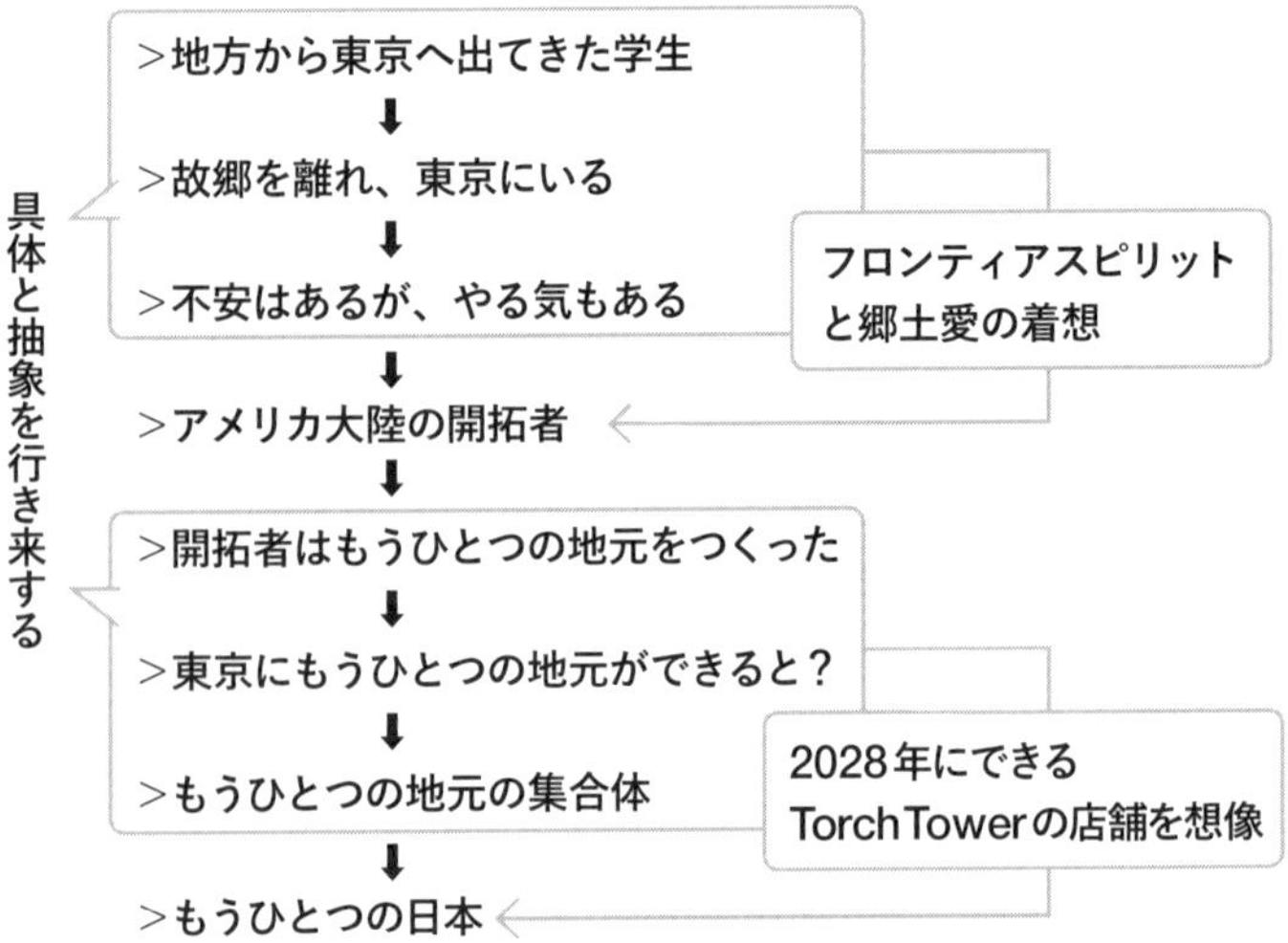

具体と抽象を行き来する
>地方から東京へ出てきた学生
>故郷を離れ、東京にいる
>不安はあるが、やる気もある
フロンティアスピリットと郷土愛の着想
>アメリカ大陸の開拓者
>開拓者はもうひとつの地元をつくった
>東京にもうひとつの地元ができると？
>もうひとつの地元の集合体
2028年にできるTorch Towerの店舗を想像
>もうひとつの日本

からの、もうひとつの日本をつくるというのがビシッと入ってきたわけです。**具体と抽象の行き来の中から、似ている何かを探すのは1つのコツです。**似ている何かで表現するのは、そのものズバリを説明するよりも分かりやすい場合があるからです。そのものズバリを話しても伝わらないなら、何かに例えると話が早いというわけですね。

コンセプトの良しあしとは？

坂本　次に、コンセプトの良しあしを見極める方法を紹介します。**一番重要なのは、自分たちらしいかどうか。**アナザー・ジャパンという店のコンセプトをつくってもらうけど、それが自分たちらしいかという視点で考えてください。

ホクトウ　普段から「らしさ」という言葉を何気なく使ってしまいますが、何か定義はありますか？

坂本　厳密に定義するのは難しいね。でも特徴を挙げることはできます。1つは、飾ってないってことだと思います。みんなだったら、学生らしさ、その年代らしさみたいなものもある。妙に背伸びして大人っぽいとか、大人に喜んでもらえるように忖度するとか、そのように考えてしまうと「らしくない」ですね。**コンセプトとか考えるとついついかっこつけてしまいがちなんですが、飾らないのが大事です。**

キンキ　らしさは「好み」とも言えますか？

坂本　近いんじゃないですか。「似合う」「似合わない」という捉え方もできますね。ファッションでいえば、服としてはかっこいいけど、自分には似合わない、みたいなのがありますよね。似合うかどうかというのもらしさの重要な視点です。

チュウシコク　そもそも、自分自身のらしさに悩んだりもします。どうやったら、らしさを見つけられますか？

坂本　一つにはたくさんの情報に触れることですね。ファッション雑誌をたくさん読めば、自分に似合いそうな服ってなんとなく見つかりますよね。参照情報が多いほど、解像度が高まって、自分に似合うか似合わないかは分かってきます。

そのためには、一次情報のインプットを増やしたほうが、「らしさ」が分かりやすくなると思います。

もう一つはやっぱり、人に聞くことですね。自分だけで考えても限界があるので、俯瞰して、外から見たときにどうか。周りの人に聞いてみるといいかもしれないです。いろんな人に聞いて壁打ちしていけば、よりよいものが出てきます。僕らデザイナーがクライアントに提供している価値はそういうところにあったりしますね。

物語として伝えるのがクリエイション

坂本　コンセプトの良しあしを決めるもう一つは、「**物語が生まれているか**」です。人にものを伝えるときに、物語として伝えると効果があります。

「風が吹けば桶屋がもうかる」っていう話を知っていますか？　風が吹くと砂ぼこりが舞って、目が悪くなる。目が悪い人は三味線を弾いてお金を稼ぐ。三味線を弾く人が増えると、猫がどんどん街からいなくなる。猫がいなくなったらネズミが増えて、桶をかじるよね。かじられた桶が増えると、桶屋がもうかる。むっちゃ乱暴な話として語られがちな例だけど、こんな感じで物語としてつなげるのがクリエイションでもあります。

風が吹けば桶屋がもうかると聞いても、何のこっちゃと思うよね。でも、つなぎ合わせるとそこに意味が生まれる。物語として語れることが重要です。

今回は物語を何につなげていくのかというと、ビジョンですね。設定したコンセプトの先に「懐かしさと新しい発見を届け、もうひとつの日本をつくる」というビジョンにつながるのかどうか。ここを物語れるのがいいコンセプトになりそうです。

コンセプトからの展開

坂本　僕からの講義の最後に、コンセプトをどう使うかを説明します。

シンプルに言えば、アナザー・ジャパンのお店のあらゆる要素が、そのコンセプトにひも付いているのが理想です。今回、外装や立地は最初に設定してしまっていますが、商品セレクトや売り場づくりはこれからみなさんが決めていきますよね。コンセプトはその際の重要な判断基準となります。まだコンセプトは決められてないけど、ビジョンにある「懐かしさと新しい発見を届ける」という要素が入ってくるなら、商品セレクトも「懐かしさと新しい発見」を届けられるものにしなくてはいけないですよね。売り場も接客もコミュニケーションも同様に設計していきます。

どの要素もバラバラではなくて、コンセプトを基に一貫した選択をすることで、アナザー・ジャパンらしさを表現していくことができます。これが、ブランドをつくるということにつながっていくんです。

　これからコンセプトをつくっていきますが、そのコンセプトがこれからの各施策の判断基準につながっていくということも意識してワークを行ってください。

アナザー・ジャパンのコンセプト設計

坂本　ここから、グループワークをやってもらいます。各チームで、アナザー・ジャパンのコンセプトを考えてください。コンセプト案は、いっぱい出してもらいたいかな。「これはちょっとちゃうかも」っていうのも含めて、1回、情報をバラッとさせて、そこから、似ているものを分類して

全体でらしさを表現していく

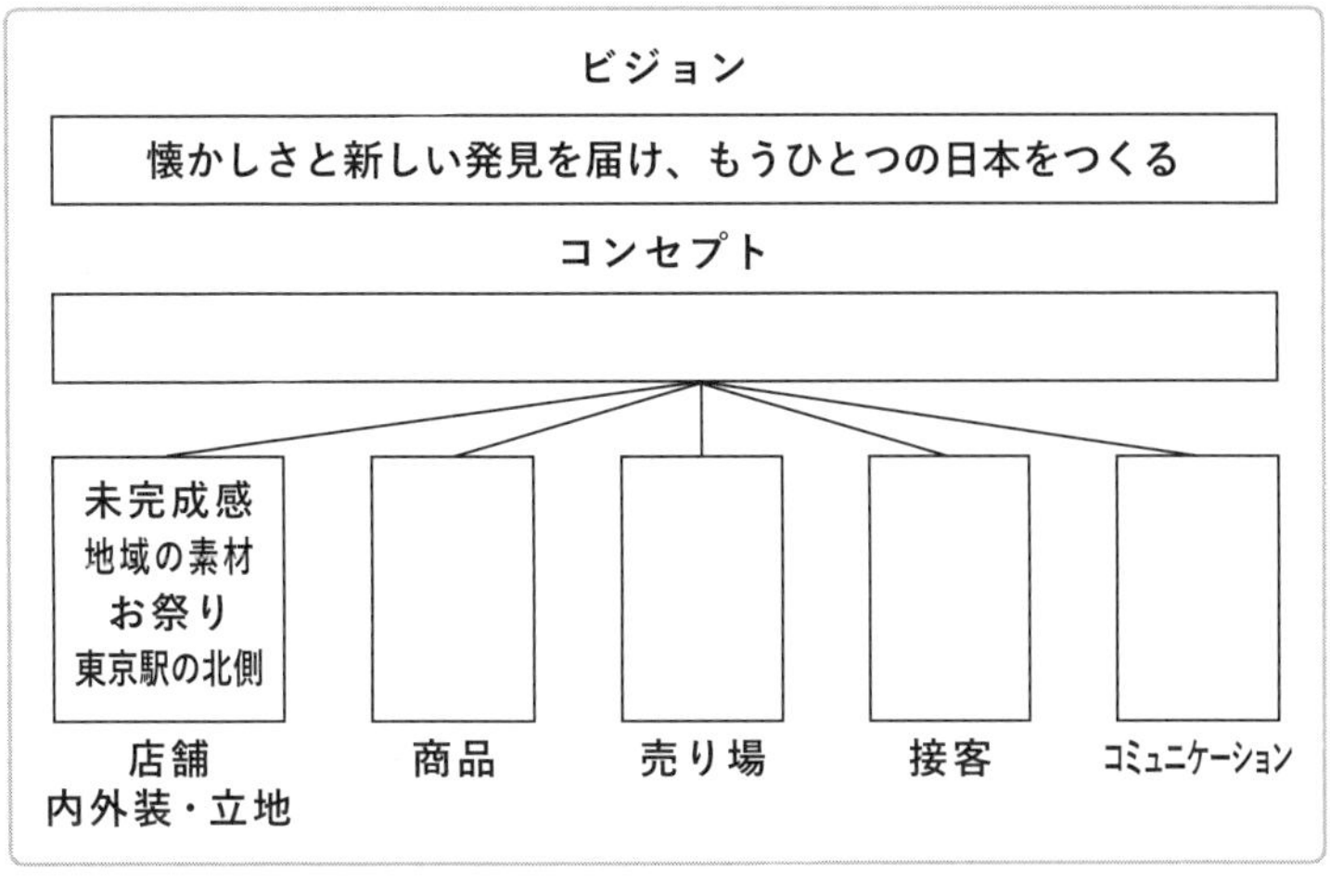

いったりすると正解に近づいていきます。

アナザー・ジャパンのコンセプト発表

坂本　ホクトウ・キンキの「おかえり、いってらっしゃい」は、アナザー・ジャパンという店に来た人に対しての言葉だよね。「『ぬくもり』『ときめき』が混ざりあう場所、ここからはじまる」、これは、ちょっと長いよな。

チュウブ・チュウシコクの「初めまして、お帰りなさい」は、ニュアンス近い？

チュウシコク　ホクトウ・キンキの、「おかえり、いってらっしゃい」は、地元の人に向けたものでもありますが、もう一つの意味としては、非地元の人が2回目に店舗にやって来たときの「おかえりなさい」にもなります。お客さんとの関係の深まりを、時系列に乗せられるんじゃないかと思いました。

中川　時間軸で捉えるのはいいよね。「いってらっしゃい」は、場所が東京駅だからという視点からもいいですね。「いってらっしゃい」と送り出す場所として、東京駅はイメージが付きやすいです。そういう意味でもアナザー・ジャパンらしい。

この方向で進めますか?

カントウ　1点だけ付け加えたいです。「おかえり」は地元の方向けの言葉だと思うのですが、非地元の方をウェルカムするニュアンスもあるといいので、「おかえり」の前に「いらっしゃい」を付け加えるのはどうでしょうか。「いらっしゃい、おかえり、いってらっしゃい」としたいです。

中川　いいと思います。いったんこれを仮置きして、ここから展開ができるか考えてみましょう。

坂本　みんなの反応から手応えを感じるね。この「ええやん」という気持ちを忘れんといてほしいね。最後は感覚的なものなので、「ちゃうな」っていう気持ちとか、「それかも」「それええかも」という自

ホクトウ・キンキのコンセプト案

『おかえり、いってらっしゃい』

「おかえり」:懐かしさ
……地元の人

「いってらっしゃい」:新しい発見
……非地元の人

・この2つの言葉で、商品の背景(私たちセトラーや生産者の顔)が浮かぶ
・温かみを感じる
・つながりを連想させる言葉
➡お客さんを巻き込む

- 第2の故郷を見つける
- 地域のワクワクを見つけよう
- つながりを紡ぐ
- 地域の価値を再発見しよう
- 「ぬくもり」「ときめき」が混ざりあう場所、ここからはじまる
- 「ただいま」と言える場所
- ここからはじまる場所

チュウブ・チュウシコクのコンセプト案

- Make it
- Share it
- Deliver it
- 初めまして、お帰りなさい
- 温故知新
- Next One
- 今を変えていく
- 今を超えていく
- 今を繋いでいく
- 今を生き、明日を作る
- 今日を感じ、明日を作る
- 今日を見て、明日を作る
- 世の中は気づきに満ちている
- 新たなステージ
- 生まれたての世界
- 日本作ってるなう
- 未来創造
- 日本を束ねる
- 心温まる場
- 繋がりの場

カントウ・キュウシュウのコンセプト案

ビジョン：懐かしさと新しい発見を届け、もうひとつの日本をつくる

お客さんにとってAJがどんな場所になるか：帰りたくなる場所　ふるさと
好奇心（ワクワク・知らない場所への興味）（若者にとっての挑戦の場）
つながり　あたたかさ　安心感　居場所

「いらっしゃい、おかえり、いってらっしゃい」

➡地元ではない人にはおかえりが引っかかるから「いらっしゃい」
　循環ができる

いらっしゃい：新しい発見（非地元）

おかえり：懐かしさ（地元）

いってらっしゃい：出会った人全員を新しい日本に送り出す

もうひとつの日本だと分かれてしまうのはいや ➡ 今ある日本と向き合って共に生きることで別の側面を見いだす（今は過渡期）今の日本は気づくべき魅力のある日本 ➡ ナウ・ジャパン（東京＋他地域）の概念を変えたらいい、日本と共に生きよう

分の気持ちは大事にしてほしいです。

「いらっしゃい、おかえり、いってらっしゃい」からの展開

中川　このコンセプトは、各施策への展開がしやすくていいと思います。商品セレクトは、「懐かしさと新しい発見」というビジョンもあるので、十分選べそうですね。

接客も工夫ができそうです。企画展が地元の方には「おかえり」、非地元の方には「いらっしゃい」と言葉を使い分けられると面白そうです。出身地を聞くためにコミュニケーションが必要なので会話も生まれそうですね。

そして「いってらっしゃい」についても、旅商品を実施できればハマりそうですね。旅商品を売るというのは、2カ月ごとに地域が変わるというアナザー・ジャパンの特殊性をストロングポイントに変えられる可能性があります。例えば、九州の企画展にやってきて、実際に九州に行ってみたくなった人に旅商品を売るとします。普通は店員さんが旅に付いていくことはできないけど、みんなだったらアテンドできるよね。もともと地元だし、その地域の商品を熱く語ることもできます。

旅商品で、お客さんを各地域に「いってらっしゃい」と送り出すことができれ

ば、それは素晴らしい成果だよね。お店を訪れて買い物をして、「ぜひ、この地方に行ってみたい」と思ってもらい、自分たちでアテンドまでする。各地域を訪れて深い体験をする人が増えれば増えるほど、「もうひとつの日本」の姿に近づいていく。ナウ・ジャパンを変えていく姿が目に浮かびました。

今話したように、コンセプトが定まったことで、ビジョンと競争戦略が1つにつながった感覚があるのが分かりますか。現状分析、マーケティング、ブランディングで議論したことがコンセプトに集約されて、それがビジョン実現にもつながるし、そこから戦略、戦術にも展開できそうです。**ビジョンから筋のいい競争戦略を生み出すという感覚はこういう感じで、その結節点がコンセプトですね。**

坂本 物語ができて、アイデアがサーッとつながっていくのが筋のいいコンセプトですよね。コンセプトはこれに決めましょうか。「いらっしゃい、おかえり、いってらっしゃい」。桂三枝みたいやけど(笑)。

ワードにこだわる

中川 ここまでで、ビジョンとコンセプトが着地しました。しかし、みなさんの反応を見ていると、大筋はいいと思ってるけど、部分的に消化しきれずに、ある種の「気持ち悪さ」が残っている部分もありそうでしょうか。そこで、言葉を整理することで、気持ち悪さをクリアにしておきたいと思います。

最初に、ビジョンとコンセプトの関係を明確化するために、僕から提案したいことがあります。ビジョンは、「懐かしさと新しい発見を届け、もうひとつの日本をつくる」で、コンセプトが、「いらっしゃい、おかえり、いってらっしゃい」でしたよね。

この「いらっしゃい」は、非地元の人向けで、「新しい発見」につながっています。だから、順番をそろえるために、当初の案の「懐かしさ」と「新しい発見」を入れ替えて、先に「新しい発見」を持ってきて、「新しい発見と懐かしさを届け、もうひとつ

アナザー・ジャパンのコンセプト

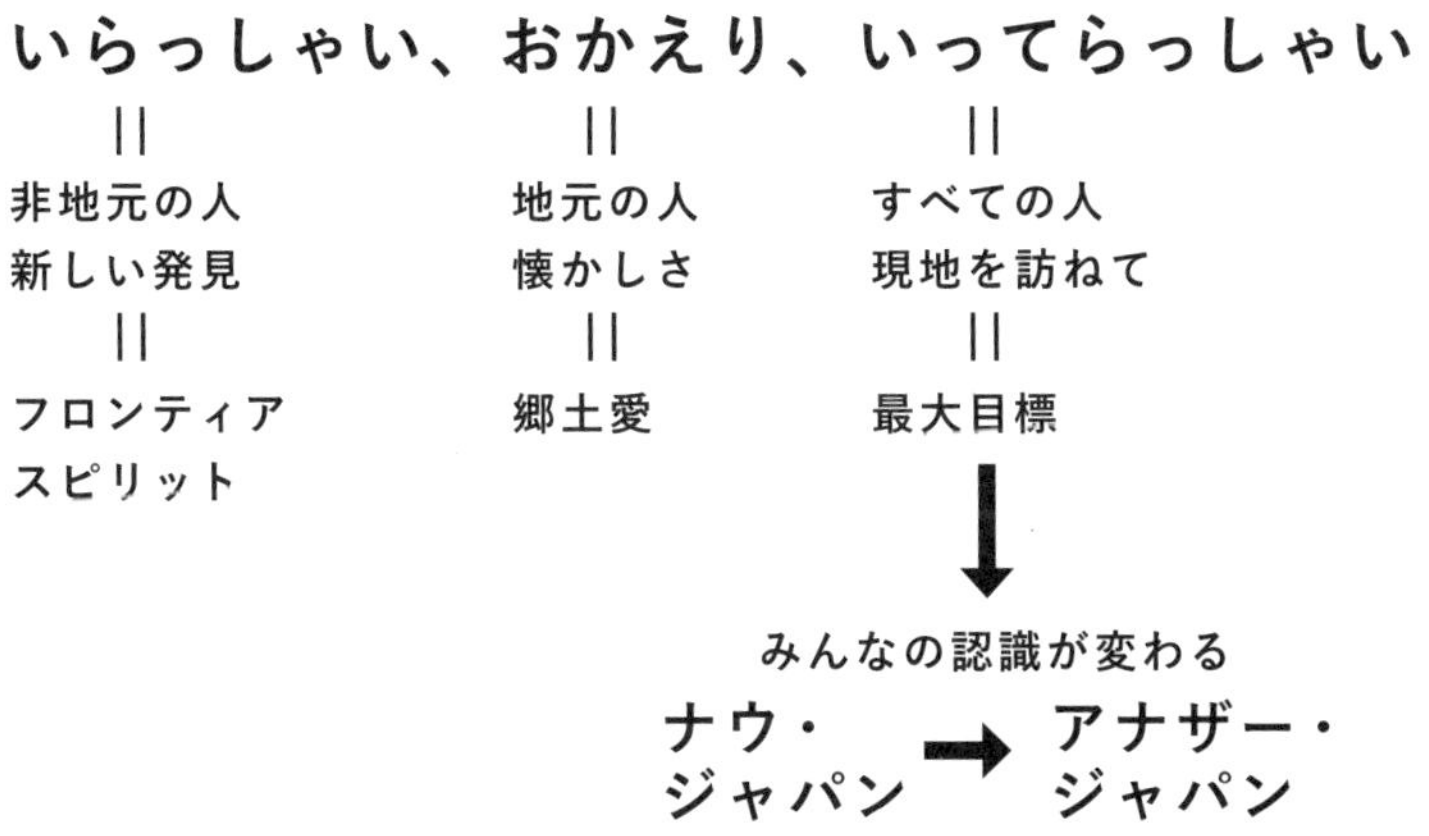

の日本をつくる」とすると、コンセプトとの関係性がより分かりやすいですね。

ホクトウ　言葉遣いの点で1つ意見があります。「もうひとつの日本」ではなく「新しい日本」のほうがいいかなと思ったんですが、いかがでしょうか。

中川　東京が中心でその他の地方がある、今のナウ・ジャパンがあるじゃないですか。ナウ・ジャパンがこのまま行くと、何年たったってそのままですよね。でももし、アナザー・ジャパンがきっかけになって、もうひとつ別の日本の未来像があるとしたら？　みんながつくりたいのは、その「もしも」のほうの日本ですよね。それは、本流ではないほうの日本ってことで、

ビジョンとコンセプトの関係

ビジョン		コンセプト
新しい発見と	←→	**いらっしゃい、**
懐かしさを届け、	←→	**おかえり、**
もうひとつの日本をつくる	←→	**いってらっしゃい**

「もうひとつの日本」といえる。そう理解してもらえると、「もうひとつの日本」という言葉のほうが近いかなと思いますが、どうですか？

ホクトウ　未来にあるもうひとつの日本のことだと考えると納得できました。

チュウシコク　「つくる」については、「創る」という漢字にしてもいいかなと思いましたが、みなさんどう思いますか？

キュウシュウ　私は平仮名のほうがいいかなと思いました。「ひとつ」とか「つくる」を平仮名にして、読みやすいほうがいいんじゃないかと思います。あと、漢字にすると意味が変わってきます。辞書で調べると、「つくる」の意味は、「無形のものをつくる」。「造る」だと、「大きいものをつくる」。「創る」は、「新しいものをつくる」。表記の仕方で持つ意味合いが違ってくるので、どのつくるか限定しないように、あえて平仮名にしたほうが多くの意味を含んで、いいかなと思っています。

チュウシコク　納得です。平仮名の「つくる」でいいと思います。

中川　「いらっしゃい、おかえり、いってらっしゃい」のほうで気になったことを1点だけ。みんなからは指摘がなかったですが、辞書的に言えば口語と文語が交じっている文章になっています。フォーマル度を合わせようとすると、「いらっしゃい」より「ようこそ」のほうが適切です。でも、結論から言うと、このままでいいかなと思います。辞書的にフォーマル度を合わせなくても、日常の感覚の言葉遣いとして違和感がないし、リズムがいいので。

このように、言葉遣い、仮名・漢字の表記、並べ方など、細かい点まで考えて整理してワーディングの精度を上げることがとても重要です。

ノットアグリー、バットコミット

ビジョンとコンセプトについて、こちらで決定して進めても大丈夫でしょうか。大筋はみなさん納得感を持ってくれていそうですね。でも細かい点で言うとまだ意見があるかもしれない。

今回、いろんなことを組織で決める中で、みんなに心構えとして持ってもらいたいのが、「**ノットアグリー、バットコミット**」です。内容には賛成できないということがあっても、決定したからには、実行することを約束するという意味です。

中川政七商店の取締役会は5人で構成されていますが、当然、みんなそれぞれ主張があって、議論があって、最終的に、意見が割れることだってあります。でも、どんなに意見が分かれても、最後には何かしら決めないといけないですよね。一度決めたことは、もし自分の意見と違っていたとしても、企業としてはコミットしないといけません。意見に同意できなかったけど、決定事項にはコミットしますよという態度が求められます。これが、みんなに守ってもらいたい考え方です。

納得できるようならアグリーでいいし、どうしてもアグリーできないことがあるかもしれない。それでも、それがチームで決めたことならコミットするという心持ちだけは、持っていてもらいたいです。

コンセプトもいずれ見直すタイミングが来るかもしれませんが、まずは「いらっしゃい、おかえり、いってらっしゃい」と全員で掲げて、各施策に落とし込んでいきましょう。

今後の動き：企画展のコンセプトを重ね合わせる

坂本　これでコンセプトの講義は終わります。アナザー・ジャパン全体のコンセプトは本日決めることができましたが、今後は今日学んだことを生かし、各エリアごとにもコンセプトを決めてもらいたいです。アナザー・ジャパン全体のコンセプトがあって、さらにそこに各エリアのコンセプトを重ねてください。「いらっしゃい、おかえり、いってらっしゃい」だとまだ抽象度が高いですが、各エリアのコンセプトを決めてもう一つ条件をつくれば、より商品セレクトや売り場演出につなげやすくなります。ぜひ地元エリアの「らしさ」を見つけて、コンセプトに落とし込むようにしてください。

エリアコンセプトを決める重要な観点を2つ授けておきます。1つは客観的な事実に基づくことです。よく観光地のうたい文句で「豊かな自然」というのがありますが、日本の地方であればどこにでも豊かな自然がありますよね。こういうのはらしさに客観性がないです。ほかのエリアでもいえてしまうことはコンセプトになりません。自然でも歴史でも文化でも、「その地域にしかない」という客観的な事実を押さえて、コンセプトに昇華させるのが重要です。

もう1つは、ビジョンや全体コンセプトの範疇《はんちゅう》にしっかり位置付けるということです。「新しい発見と懐かしさを届ける」や「いらっしゃい、おかえり、いってらっしゃい」にあくまでもつながっている必要があります。全体の統一感を大事にしながら、エリアのらしさを探求してください。

　エリアコンセプトは後日発表していただきます。楽しみにしています。

（※本書では、初の企画展となった「アナザー・キュウシュウ」のコンセプト発表の様子をコラムでご紹介します）

8章 ミッション、バリュー、行動規範

〈この章のポイント〉

1. ビジョン、コンセプトをミッション、バリュー、行動規範に落とし込む。
2. バリューとは共通の価値観。ビジョンの目指し方を組織で統一する。
3. 行動規範は、バリューより具体的に定める。
行動規範を定めることで現場レベルの判断がしやすくなる。
4. ミッションは、ビジョン達成のためのマイルストーン。
時間軸と定量的な設定を特に大事にする。

ミッション、バリュー、行動規範

バリューとは何か?

ビジョンがあってコンセプトがあって、その下に、バリュー、行動規範、ミッションがあります。

バリューとは、共通の価値観です。ビジョンは「何を成し遂げるか」でしたが、それをどのように成し遂げるのかは、組織やチームによって色があります。例えば、同じ「甲子園で優勝する」という目標に対しても、規律が厳しく全体練習をハードにするチームもあれば、主体性を重んじて自主練習が多いチームもありますよね。価値観の違いによって、目標の目指し方も変わってきます。

バリューがしっかり決まっていれば、共感する人が集まってきます。お客さんはもちろん、2期

アナザー・ジャパン・プロジェクト		アナザー・ジャパン
日本の未来に灯りをともす	ビジョン	新しい発見と懐かしさを届け、もうひとつの日本をつくる
Project Based Learning	コンセプト	いらっしゃい、おかえり、いってらっしゃい
アナザー・ジャパンの成功と学生の成長	ミッション	???
フロンティアスピリットと郷土愛	バリュー	???
???	行動規範	???

生の採用にとっても重要ですね。だから、バリューは明確に決めておいたほうがいいですね。

みんなは、ここにいる時点で価値観がある程度そろっているといえます。アナザー・ジャパン・プロジェクトを始めるに当たって、大切にしたのはフロンティアスピリットと郷土愛です(※注釈)。そこを採用時にも掲げたことでみんなが集まって、今、アナザー・ジャパンを形づくっています。ゼロからバリューを考え直してもよいのですが、アナザー・ジャパン・プロジェクトと同じバリューを掲げてもいいと思います。どうですか?

キュウシュウ　アナザー・ジャパンも「フロンティアスピリットと郷土愛」を掲げるのがよいかなと思います。

じゃあアナザージャパンのバリューも、フロンティアスピリットと郷土愛に決定しましょう。

行動規範とは何か?

プロローグと7章の坂本大祐氏のストーリーテリングを参照。アナザー・ジャパン・プロジェクトのコンセプトストーリーを広げる中で、学生を開拓者に見立てたときに、「開拓者精神(フロンティア・スピリット)」と「郷土愛」という言葉を抽出し、それをバリューとして設定した。バリューも、ビジョンやコンセプトとの関係を大事にして設定すること。

バリューが何につながっているかというと、行動規範です。フロンティアスピリットや郷土愛というのは抽象度が高いワードです。だから、価値観をベースに、みんながこの仕事で心がけるべき具体的な行動規範を定めます。

それが、例えば、「ザ・リッツ・カールトン ホテル」の「クレド」です。クレドをスタッフが常に携帯し、スタッフが現場で裁量権を持ってやっています。クレドをテーマにした本も出ています。

行動規範というと、学校の校則みたいなものを思い浮かべるかもしれないけど、**行動規範があることで、現場がその都度判断できるというのがそのよさです**。リッツ・カールトンでは、クレームがあったらその都度、責任者を呼んでくるのではなくて、どのようにクレームに対応するかを現場の担当者が判断して、それを実現するための、担

中川政七商店の「こころば」

中川政七商店こころば

一、正しくあること
二、誠実であること
三、誇りを持つこと
四、品があること
五、前を向くこと
六、学び続けること
七、自分を信じること
八、ベストを尽くすこと
九、対等であること
十、楽しくやること

当者レベルで決裁できる個人の予算も確保されています。普通の会社が、何か問題があると責任者に確認する仕組みになっているのとは対照的ですよね。

価値観と行動規範があれば、現場レベルの判断がしやすくなります。中川政七商店では、「こころば」と「仕事のものさし」があります。こころばは十カ条でできた〝中川政七商店で大事なこと〟。「正しくあること」から始まって、「楽しくやること」で終わる。みんな、これが書かれた名刺大のカードを持っています。

その3〜4年後にできたのが、仕事のものさし。最優先するのは心配りで、次が自分としての美意識を持つこと。自分よりもお客さん、それよりも下に、仕事がくるという優先順位を具体的に示しています。

行動規範は、実際に店舗の経営が始まって、現場で仕事をするようになってから決めた方がいいと思います。なので研修では割愛しますが、追って決めていきましょう。

ミッションとは何か?

次にミッション。中川政七商店では、ミッションをビジョン達成のための目標と定義しています（※注釈）。アナザー・ジャパンのビジョンは、「新しい発見と懐か

6章でも触れたように、ビジョン、ミッション、パーパスなどの言葉の定義・用法にはさまざまな流派がある。中川政七商店ではこのように定義している。

しさを届け、もうひとつの日本をつくる」。それを、どうやったら実現できるか。そのための目標がミッションです。

みんなの総意で、「もうひとつの日本をつくるんだ」という大きなビジョンを背負っていても、ノープランで進んでしまっては絶対に実現できません。そこに到達するまでに、**何を達成していくといいのかというマイルストーンを定めるのが大事です**。それがミッションです。

ミッションをつくるには、3つの視点があります。

1つ目が時間軸。アナザー・ジャパンでは、プロジェクトの1年という短期的な目標と、2027年度のTorch Tower出店というさらにその先の目標もあります。

2つ目が、定性、定量。今までの議論で、定性のところは見えてきています。でも、数字を付け

中川政七商店の「仕事の物差し」

心配り　美意識　段取り

この3つのことばは大切な順に並んでいます

1.（相手に対する）心配り

2.（自分の中での）美意識

3.（仕事における）段取り

ていかないと実現できません。数字を付けるってことは予算を決めること。予算に関しては、「**予算は3秒で決める**」。予算は目標だから、高いほどいい。幼稚園の徒競走の話じゃないけど、ゴールが見えると誰でも気が抜ける。だから、予算は高く、考え過ぎずに3秒で決めようという話です。

3つ目のMECE（Mutually Exclusive, Collectively Exhaustive）は、「もれなくだぶりなく」ということ。「売り上げ10億円つくります」を目標にしたとして、これだと、売り上げだけをつくればいいということになります。でも、現場に不良在庫がたくさんあったら、10億円の売り上げをつくっても、それはミッション達成とはいえないですよね。売り上げが目標だとしても、利益や在庫水準も考えておかないと、目標を達成するためだけの変な動きが出てくる。だから、ミッショ

ミッションを考える3つの視点

- 時間軸
- 定性、定量
- MECE

ンは網羅的に考える必要があります。

さあ、ミッション。どうしますかね。「新しい発見と懐かしさを届け、もうひとつの日本をつくる」は、つまり、世の中のみんなの意識を変える。でも、それは、来年までに実現できるものではありません。そこに到達するまでに、いろんなステップを踏まないといけないと思います。少なくとも、こういう状態にならないと届かないよねということで、思いつくところを挙げていきましょう。

チュウシコク　実際に地方に行ってもらう。

旅商品で、お客さんを地方に連れていくってことだよね。

キュウシュウ　アナザー・ジャパンを黒字化させていくのが必要だと思います。

そうだよね。そうしないとそもそも続かない。ほかにありますか？　マストなものでも、妄想的なものでも。

ホクトウ　買うに至るには、伝えるプロセスが必要で、日本を地域の集合と捉えていることをコミュニケーションとして伝えていかないといけないと思います。

確かに、ウェブサイトに掲載しているだけでは、そういう考えの部分は伝わらないよね。アナザー・ジャパンの取り組みがより多くの人に伝わる。それを言い換えると？

カントウ　メディアで話題になる。

アナザー・ジャパンのお店は1つしかないので、多くの人にアナザー・ジャパンの取り組みを伝えるとなると、そうだよね。圧倒的に多くの人に伝わるのはメディアです。

チュウブ　伝える前に、私たち自身の意識を、「日本＝地域の集合体」に変える必要があります。「とはいえ、これ無理だよね」って思っていると伝わらない。まずは自分たちが実感し切ることが大事だと思います。

ビジョンにコミットする。いいですね。ほかにありますか。

キンキ　5年後くらいに、懐かしさが増えたらいいなと思います。お客さんが店舗に来て、地域の面白い商品を知って、それで懐かしさが増えていく。地域への意識が芽生えると思います。

分かるんだけど、新しいものが次々に出てくるのも大切な気がしますね。懐かしさだけになったら、それはそれでダメなんじゃないかなって。そもそも今は、地方を地元として見ている人が多くて、懐かしさの割合のほうが多いと思う。だから、より積極的に増やしていきたいのは、新しさという気もしています。

これは立場の違いですが、みんなは小売事業をやります。一方、メーカーは商品を製造して、売っていく。昔のものだけを売っていれば商売が成り立つというのは、実現すれば最高です。中川政七商店だって、「花ふきん」という看板商品だけで50億円の売り上げが立つなら、それでいいですが、絶対にそうはなりません。プロダクトにはライフサイクルがあって、どんなものでもピークがあって、その後、必ず落ちていきます。ロングセラーはピーク付近が長く続きますが、それにしても何らかのカーブを描くものです。メーカーとしては、新しいものをつくらなくなったら、それは終わりだと思います。

キンキ　アナザー・ジャパンを成長させて、そのうち、アナザー・ジャパンで扱ってもらえるように、もっと面白い商品をつくらなきゃという気持ちに、地域のみなさんがなってくれるというのも、いい目標だと思います。

キュウシュウ　懐かしさの中から、新しい発見を増やすというニュアンスかなと思います。

　地元の人にとっても懐かしさがあるだけじゃなくて、知らなかった商品とか、新しさもあると思うので、そのバランスですよね。新しいばかりだと懐かしさが生まれないし、かといって、古くからある商品ばかりだと懐古主義っぽい。だから、懐かしいと新しいのバランスは、5：5を目指すのがいいんですかね。

　コト商品を売って、体験を通じて、人々の意識が変わっていく。黒字化と、人々を地方に連れていくこと。でも、伝わらないと意識なんて変わらない。旅行に行く人は限られているし、意識が変わるきっかけを提供する。地域から面白いものが生まれる。これも、そうなってもらいたいよね。みんなの代では全部には届かないと思うけど、商品開発も、後々はやらないといけないかもね。ミッションは、この4つくらいかな。

それぞれの数値目標を決める

バリュー、行動規範、ミッションまで決まれば、あとは数字ですね。定量的なものを付けていかないと、ふわふわしたままになってしまう。実現することが重要なので、「ロマンとソロバン」とよく言いますが、言葉に数字を重ねていきたいと思います。

事業としての黒字化は、月500万円が損益分岐点。1年間で6000万円です。でも、これが目標でいいのか。6000万円を下回る目標はあり得ないけど、もしかして1億円か1億2000万円か、それとも2億円か。どこに目標を置きますか。手を挙げてください。6000万円？　8000万円？　1億円？

――（1億円で多くが手を挙げる）

じゃあ目標1億円で1年間やりましょう。予算は高いほうがいいです。

次にメディアですが、メディア露出って測りにくいんですよ。広告費換算という考え方はあるけれど、例えばどんな露出ができたらいいかな？　何が一番うれしいですか？

ホクトウ　地元の新聞に載るのがうれしいです。身近にも感じてもらえると思います。

それも一つの視点だよね。テレビとか新聞、雑誌、あとはなんだろう。例えば、SNSを立ち上げて、インスタのフォロワーが100万人いたらだいぶ届いていることになるよね。そこに数字を付けてみましょうか。メディアとしては何が盛り上がると一番うれしいですか？

カントウ　インスタのフォロワーが10万人いたら、テンション上がります。

インスタがいい人？　新聞がいい人？　雑誌がいい人？　全員インスタだね

（笑）。フォロワーは何万人ですか。中川政七商店が22万人。予算は3秒で決めるのが鉄則だから、今決めよう。何人がいいですか？

とはいえ不可能な目標は逆にテンションを下げるので、今年のメンバーの目標というと幾つだろう。1万人？　3万人？　5万人？　10万人？　それ以上？　じゃあ手を挙げてください。10万人の人は？　20万の人はいないの？　では目標10万人。置いたからには、コミットしないといけないよ。5万にしておきますか？

5万人か10万人で多数決を採ります。5万人の人？　10万人の人？　じゃあ5万人で（※注釈）。

地域にお客さんを連れていくのは、何人くらい連れていけますか。10人？　20人？30人？　40人？　じゃあ100人。お客さん100人をアナザー・ジャパンのツアーでいろんな地域に連れていくことに決まりました。

来期以降のセトラーの応募を増やすのもミッション

1つ付け加えてもいいですか。、来年のセトラーの募集が大人気になること。みんなが輝いて、セトラーが憧れになる。これもビジョン実現に必要だよね。みんなの周りにも、「知ってればアナザー・ジャパンに応募したのに」っていう人がい

その後、5万人でもかなり高いハードルであることを思い知り、まずは1万人を目指すことに修正したのはまた別のお話……。

たと思います。セトラーが学生たちの憧れになって、18人がもっともっと狭き門になるというのもミッションにしたいと思います。

中期経営計画のまとめ

よし、これでミッションとバリューが決まりました。ミッションをまとめると、郷土愛とフロンティアスピリットを持った学生が経営から携わって、懐かしさと新しさを届けて、ナウ・ジャパンからアナザー・ジャパンに変える。情報発信もして、商売をする関係を構築して、お客さんを旅に連れていくところまでやる。

今、初めてストーリーにしてしゃべったけど、内容としては初めて聞く話じゃないですよね。これがそのまま競争戦略で、これまで下ごしらえして、整理してきたので、もう出来上がってるんですよ。主体が学生で、この仕組みだからこそ、これだけの熱量をかけられる。こんな店は、ほかのどこにもありません。これが、アナザー・ジャパンの圧倒的強みになるはずです。

ビジョンを現実のものにするためにも、戦略という一番上のところで差がついていないとしんどいです。でも、戦略では大きな差をつけることができたと思っ

ビジョン

新しい発見と懐かしさを届け、
もうひとつの日本をつくる

コンセプト

いらっしゃい、おかえり、いってらっしゃい

ミッション

（私たちがまずビジョンにコミットする）

- セトラーのあこがれになる＝2期生説明会参加1000人
- お客さんを地方に連れていく＝旅行商品購入100人
- 店舗事業の黒字化＝最低6000万円、予算1億円
- 多くの人にアナザー・ジャパンの取り組みが伝わる
＝Instagramフォロワー5万人
- 地域から面白いもの、新しいものが生まれる＝長期目標

バリュー

フロンティアスピリットと郷土愛

行動規範

追って策定

ています。戦略は、すごくいい感じにできていると認識してもらっていいと思います。みんなも手応えを感じてくれていたらうれしいです。

さあ、ここまでが戦略で、ここからは戦術を考えていきます。

アナザー・ジャパン中期経営計画のまとめ（2～8章）

中期経営計画作成までのプロセスのまとめ

現状分析
マーケティング視点・ブランディング視点

↓

①競争戦略
②ビジョン
③ミッション
④コンセプト
⑤バリュー
⑥行動指針

現状分析のフレームワークのまとめ

現状分析

- 収支
- 3C
- SWOT分析

市場起点 ⟷ 自分起点

マーケティング

- 4P
- STP分析
- AISAS

ブランディング

- ブランドの組み立て
- ポジショニング
- コンテンツの3レイヤー

（コミュニケーションは10章）

収支計画のまとめ

まずは、損益分岐点売上500万円／月突破を目指す

単位：万円

売り上げ		500
原価率（目標）		60%
販管費	すべて固定費とみなす	200
営業利益		0

$$200 \div 0.4(100\% - 60\%) = 500$$

3Cのまとめ

Company（自社）

もうひとつの日本をつくる会社
（ナウ・ジャパンからアナザー・ジャパンへ）

Competitor（競合）

日本の地域産品を扱う
アンテナショップ、セレクトショップ

Customer（顧客）

地元の方、地元ではない方（海外の方）

SWOT分析のまとめ

Strength（強み）

2カ月サイクルで企画展が回る常設店舗
➡「新しい発見と懐かしさ」を売る
東京駅という立地

Weakness（弱み）

学生が運営している
➡強みに変える（自分たちで仕入れから接客まで行える）

Opportunity（機会）

地方創生の機運

Threat（脅威）

コロナによるターミナル商業施設離れ
コロナによる訪日外国人の減少

4Pのまとめ

Product（商品）

商品は「地域性あり」×「食品・非食品」（次ページ表にて整理）
「もの」と「こと」の両立を目指す
➡「新しい発見と懐かしさ」を売る

Price（価格）

ラグジュアリーは扱わない

Place（流通）

自社×（リアル＋デジタル）

Promotion（販促）

自社×デジタルが主

Product（商品）のまとめ

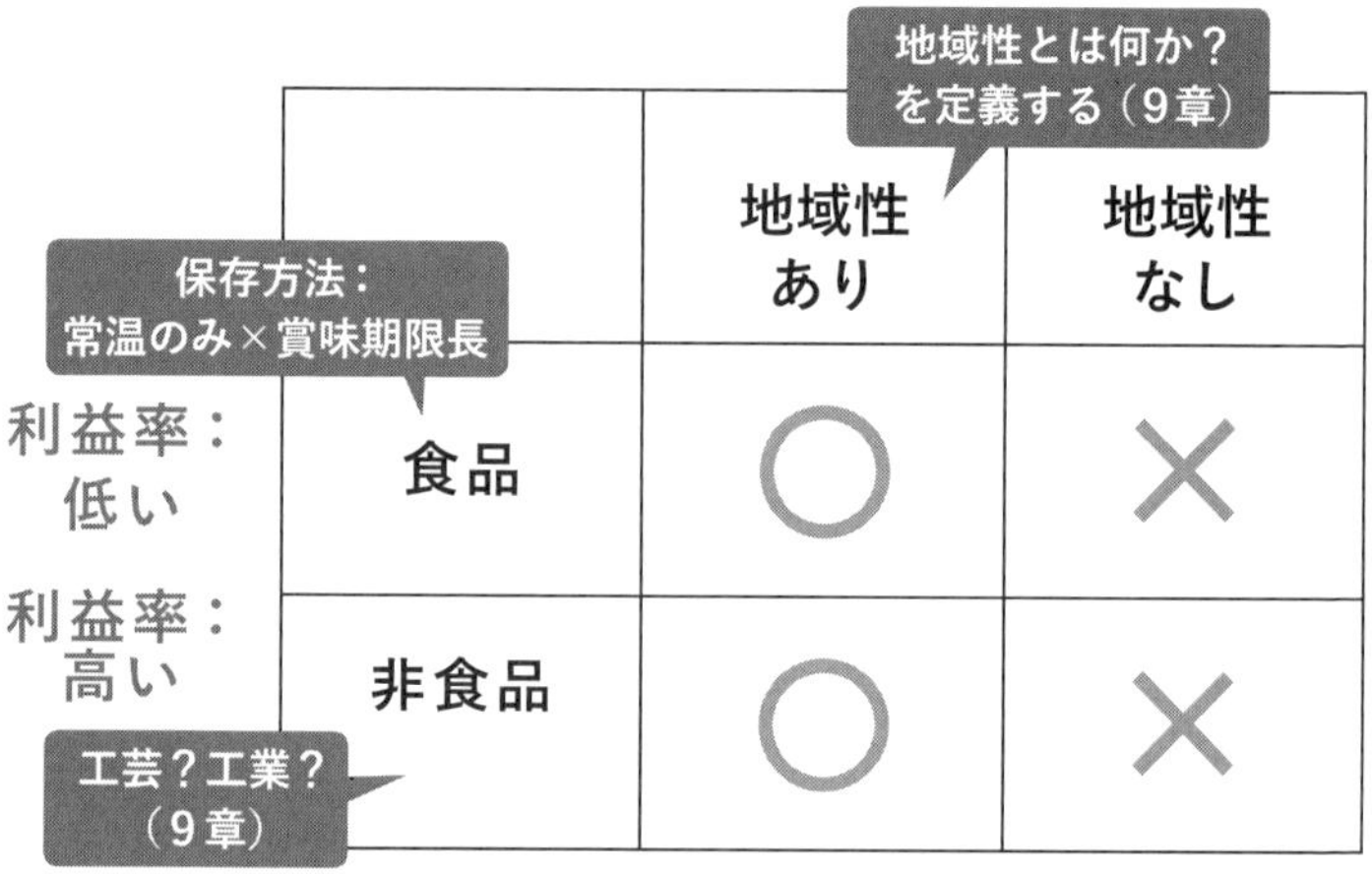

Place（流通）のまとめ

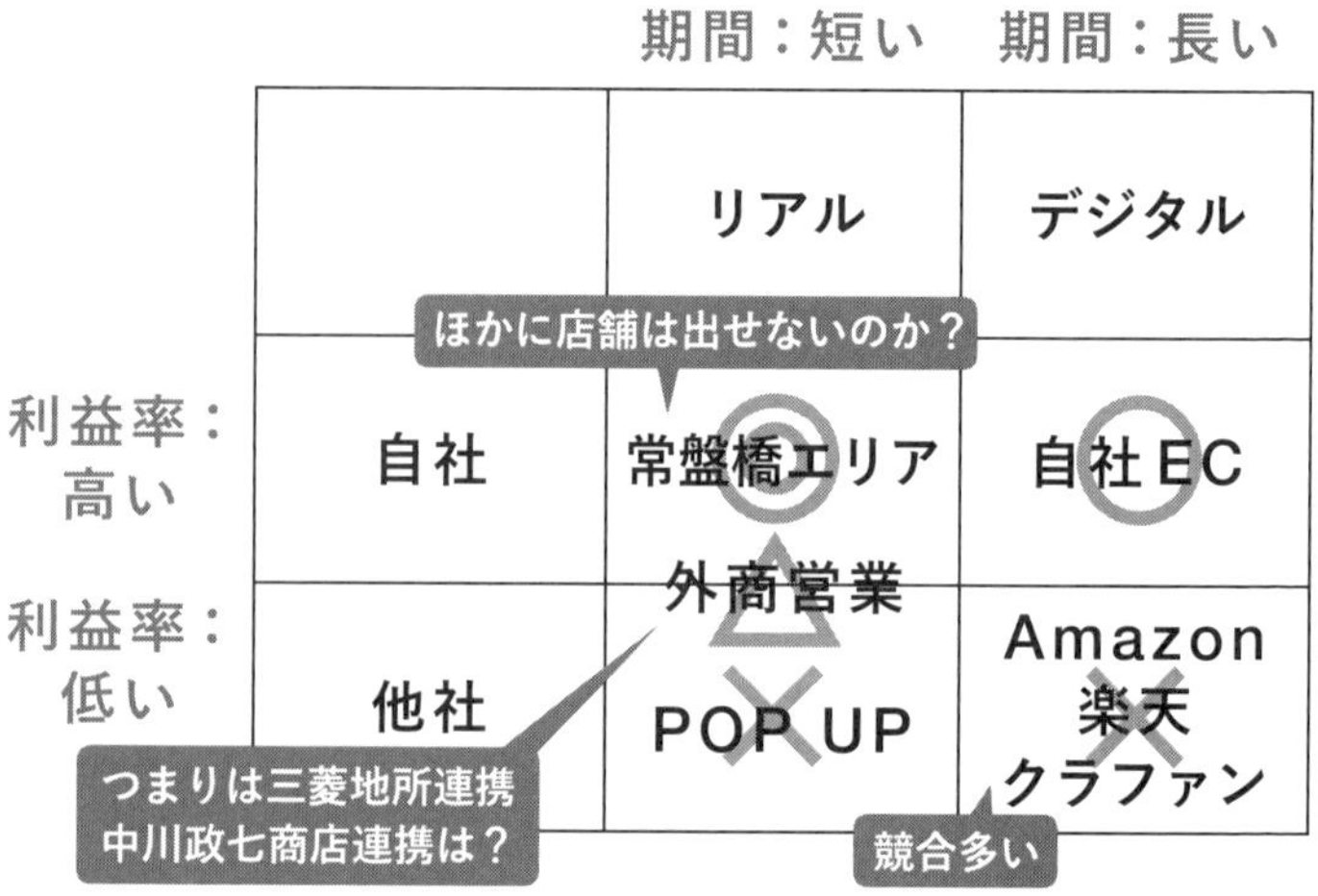

セグメンテーション＆ターゲティング（ビジネス目線）のまとめ

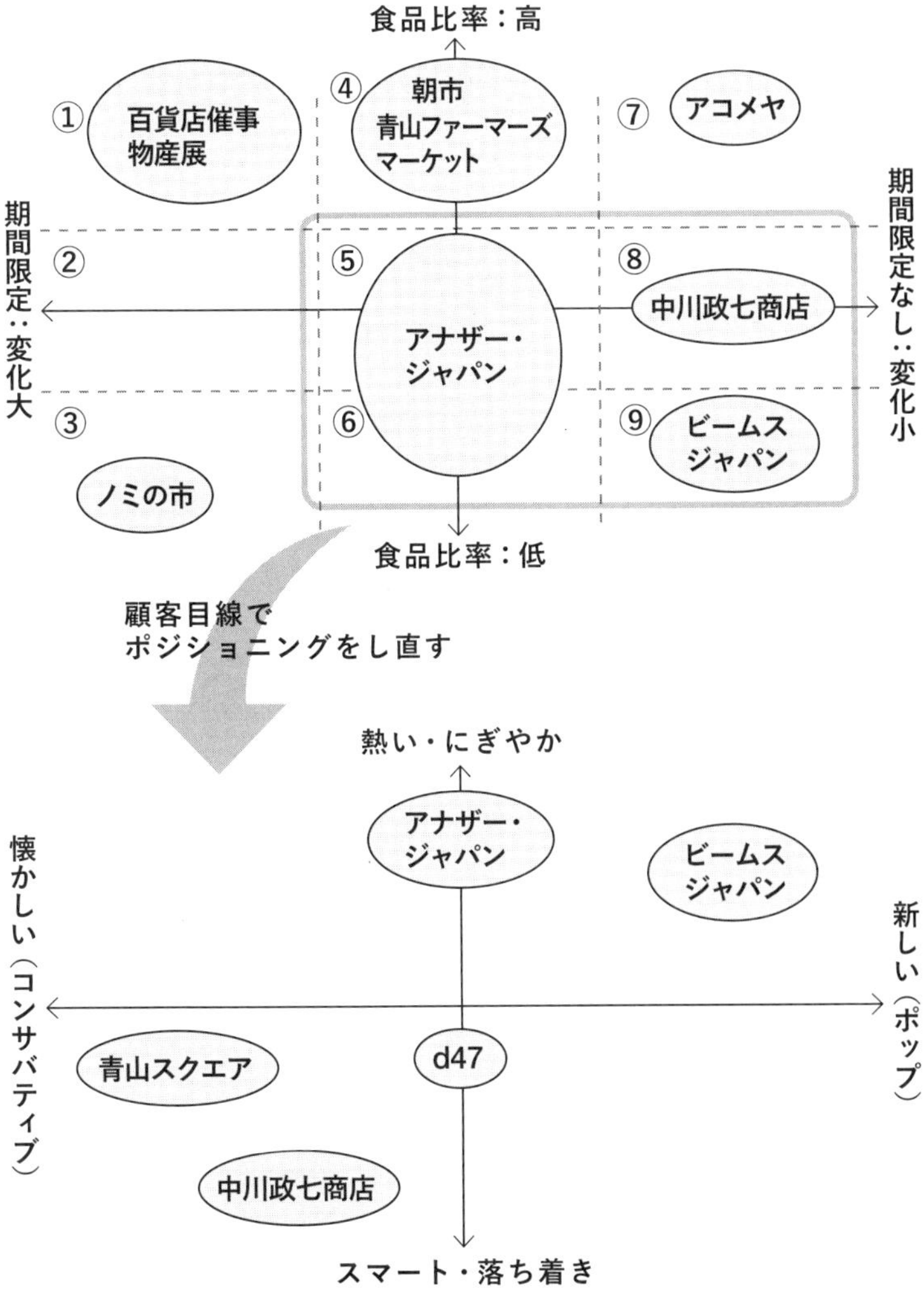

ビジョンとその分解

ビジョン

新しい発見と懐かしさを届け、　→　顧客提供価値

もうひとつの日本をつくる

↓

みんなの認識を変える

日本＝東京＋ほか ➡ 日本＝地域の集合体

ナウ・ジャパン ➡ アナザー・ジャパン

コンセプトとその分解

コンセプト

いらっしゃい、おかえり、いってらっしゃい

いらっしゃい	おかえり	いってらっしゃい
＝	＝	＝
非地元の人 新しい発見	地元の人 懐かしさ	すべての人 現地を訪ねて
＝	＝	＝
フロンティア スピリット	郷土愛	最大目標

↓

みんなの認識が変わる

ナウ・ジャパン ➡ アナザー・ジャパン

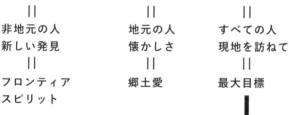

ビジョンとコンセプトの関係

ビジョン		コンセプト
新しい発見と	←→	いらっしゃい、
懐かしさを届け、	←→	おかえり、
もうひとつの日本をつくる	←→	いってらっしゃい

ミッション、バリュー、行動規範

ミッション

（私たちがまずビジョンにコミットする）

- セトラーのあこがれになる＝2期生説明会参加1000人
- お客さんを地方につれいていく＝ 旅行商品購入100人
- 店舗事業の黒字化＝最低6000万円、予算1億円
- 多くの人にAJの取り組みが伝わる＝Instagramフォロワー5万人
- 地域から面白いもの、新しいものが生まれる＝長期目標

バリュー

フロンティアスピリットと郷土愛

行動規範

（開業後にとりまとめ）

ブランド組み立ての整理

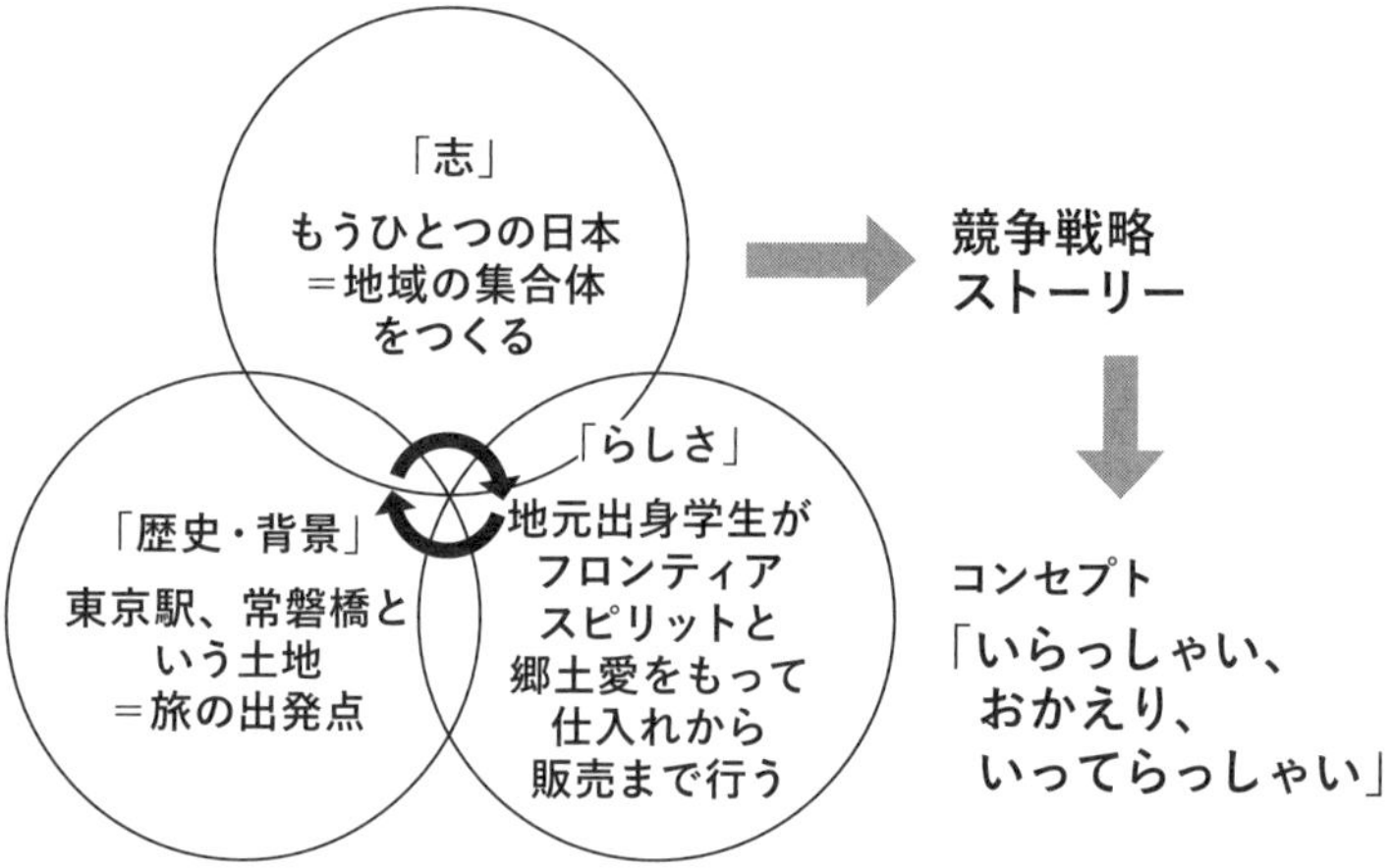

アナザー・ジャパンの競争戦略ストーリー

フロンティアスピリットと郷土愛を持った学生が自ら経営をすることにより、圧倒的熱量で多くのお客さんに新しい発見と懐かしさを届ける。そこでカギとなる仕組みは「地域２カ月催事」。その地域出身の学生が自分の地元の魅力を伝えることに全力を注ぐ。期間前は、視察・仕入れをコンテンツ化して情報発信。期間中は、その熱量と商品知識で接客販売。期間後は、お客さんと一緒に旅に出る。こんなお店はどこにもない。この仕組みだからこそ実現できる最高のお店「アナザー・ジャパン」。そして物語は終わらない。アナザー・ジャパン卒業生が10年後地元に戻り新しいものを生み出す側に回る。日本＝東京という認識が変わる。日本＝地域の集合体。私たちはもうひとつの日本をつくる。

COLUMN—1

キュウシュウのコンセプトと商品セレクト

アナザー・ジャパンの初企画展「アナザー・キュウシュウ」は2022年8月～10月に開催。そのコンセプトや商品セレクトについて、キュウシュウチームの3人が話し合い、試行錯誤の末に決定した。全員の前でそれを発表したときの様子をお伝えする。

キュウシュウチームのコンセプト発表

中川　それでは、今日は、キュウシュウチームのコンセプトの発表をしてもらいます。

キュウシュウ　コンセプトは「キュウシュウという宴が、あなたを待ってる。」です。宴という言葉は、地元の人、非地元の人も、関係なく呼び込むことができると思っています。このコンセプトに決めたストーリーについて話したいと

キュウシュウ展のコンセプト

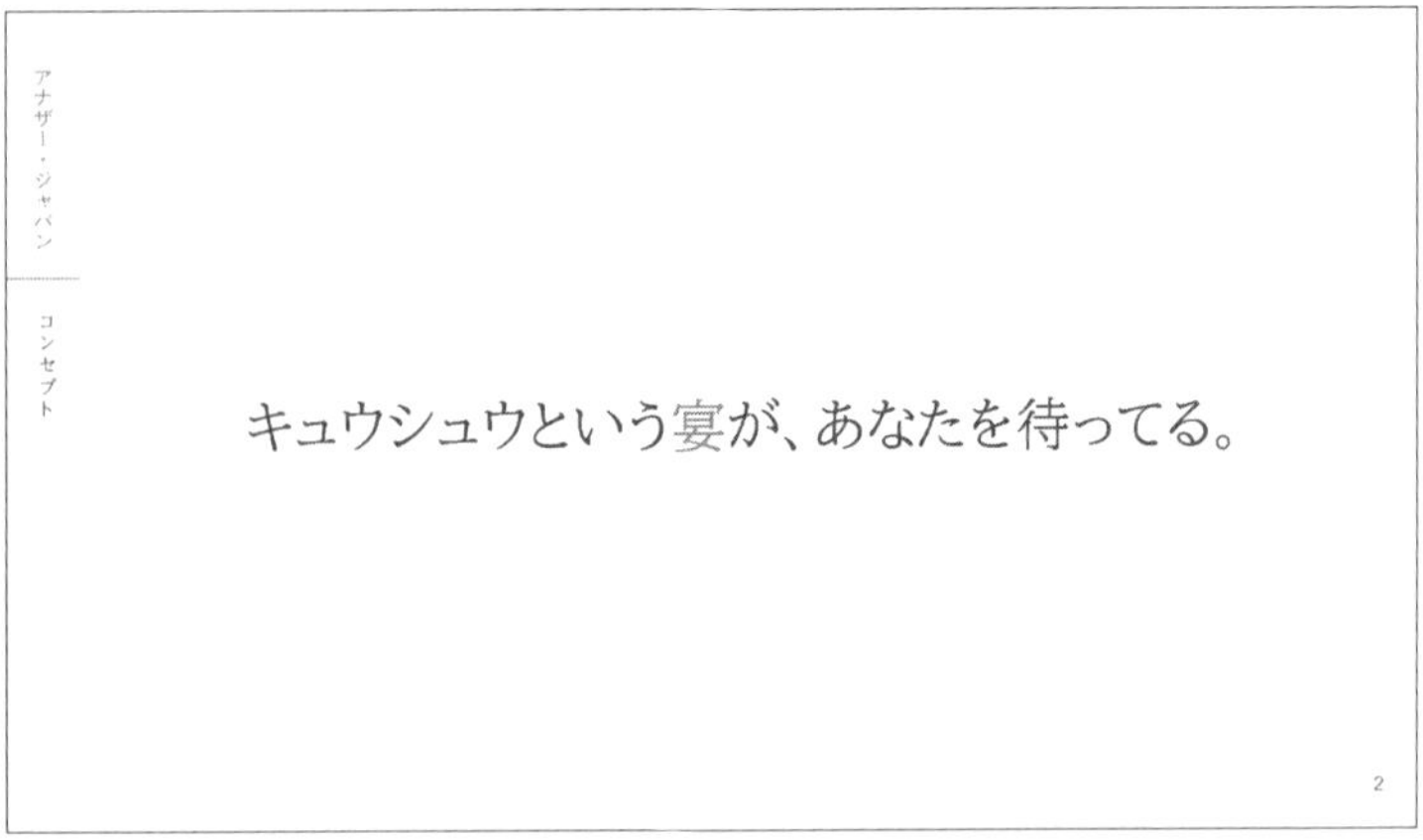
アナザー・ジャパン
コンセプト
キュウシュウという宴が、あなたを待ってる。
2

思います。

九州に、たくさん神話があるのはみなさん、ご存じでしょうか。宮崎県の高千穂町には天岩戸神社があって、「天岩戸隠れ」という宴の起源ともいえるような神話の舞台になっています。八百万の神が、「アマテラスオオミカミ」を引き寄せるために開催したどんちゃん騒ぎが、宴の起源ともいわれています。

そして、宴という漢字には「楽しむ」という意味も含まれています。九州の神事、語源に含まれる要素、今も九州地方に残る宴の原風景を大切な要素としてまとめたのが、こちら。キュウシュウの宴3か条です。それが、「すべてをあたたかく包み込む」「人と人の想いをつむぐ」「日常に、心躍る時と場」。これらを実現できる商品を仕入れて、商品セレクトやプロモーションに活用していきたいと考えていきます。

エリア研修（※注釈）での九州出張時に、エリアメンター（※注釈）から、「もし明日、九州がなくなったとしたら、日本から何がなくなると思う?」という問いかけをもらって、そこを起点に九州の独自性を考えていきました。おいしい食やお酒があって、そこから、人の温かさや不器用さなどなど、連想ゲームのように広く考えていきました。

エリア研修とは、各チームが自分たちの担当地域を訪れ、その地域に詳しい地元クリエイター（エリアメンター）の下でフィールドワークをしながら学ぶこと。取引先候補のメーカーさんへも訪問させていただいた。

下の写真はメンバーの実家で、「ここで新年の書き初めをやるんだよ」という話をして、真ん中の写真は、「沖縄の人たちは集まるのが大好き」という話。ほかにも、長崎の精霊流しの、「精霊流しでは爆竹を鳴らして、お墓で花火をしてにぎやかに送る」という話もありました。これが、私の親戚が集まって作った祖母のお船です。そして、エリア研修時の九州の風景として残っているものの一つに、初日に降り立った鹿児島で見た、お祭りがありました。こういう思い出や記憶に共通するのが宴でした。宴という言葉には、やってくるお客さんを受け入れる懐の広さもあります。

商品セレクトとコミュニケーション

キュウシュウ　商品セレクトに関しては、宴か

アナザー・ジャパン
コンセプト
私たちの心に残る九州の情景
雨の中の祭り@鹿児島中央駅前
精霊流し@長崎・山口家
親戚一堂に会して行う新年の書初め@安見家
しーみー@沖縄
3

キュウシュウ展のコンセプト発表時の資料写真

ら連想するキーワードを並べて、暮らしを構成する要素にできると思いました。

そして、今回、宴にピッタリと感じた商品を、ジャンルごとに紹介します。まず、宴には食べ物が必要で、家庭の味には調味料も欠かせません。各県で味が異なるので、企画コーナーとして、各県の食材や調味料を比較するようなコーナーを設けます。

宴には、乾杯が付きものですよね。佐賀県の伊万里焼、有田焼の酒器に入った地酒でにぎわいをもたらします。

宴では、贈り物を渡し合ったりします。このレターセットは、視覚障害者の方々が作っている商品です。これは、エリア出張時に、熊本にある「UMU（う〜む）」というショップに連れていってもらって、そこでバイヤーさんに教え

キュウシュウ展のステートメント

アナザー・ジャパン
コンセプト

キュウシュウって宴だ。


おいしいごはんとお酒。

食卓を彩る陶器。

少しおせっかいだけど、どこまでもあたたかいひと。

地域への愛と共に受け継がれてきた祭り。


私たちの暮らしの中には、いつも宴があった。

寂しささえも包み込む、底抜けの明るさは、
西の端から新しい日本を照らすだろう。

キュウシュウという宴が、あなたを待ってる。

4

ていただきました。宴は広く開いた存在として、ハンディキャップを持った作り手さんの商品も扱いたいと考えています。

宴の締めくくりは、お茶とお菓子。伊万里焼の湯飲みや、若手茶農家の人々が活動している「グリーンレタープロジェクト」という郵送できる茶葉などを紹介したいです。

そして、キュウシュウ展が終わった後には、九州を訪れてもらいたい。そこで、職人さんや作り手のみなさんに会ってもらいたいと考えています。佐賀県にある尾崎人形工房の高柳政廣さんに、尾崎人形への思いや700年以上続く歴史を直接お話しいただきます。まるで九州に訪れて、暮らしの中にある宴を味わってもらえるような、そんな商品をさまざま選定していきたいと思っています。

キュウシュウ展の商品セレクト（コンセプトとイメージ）

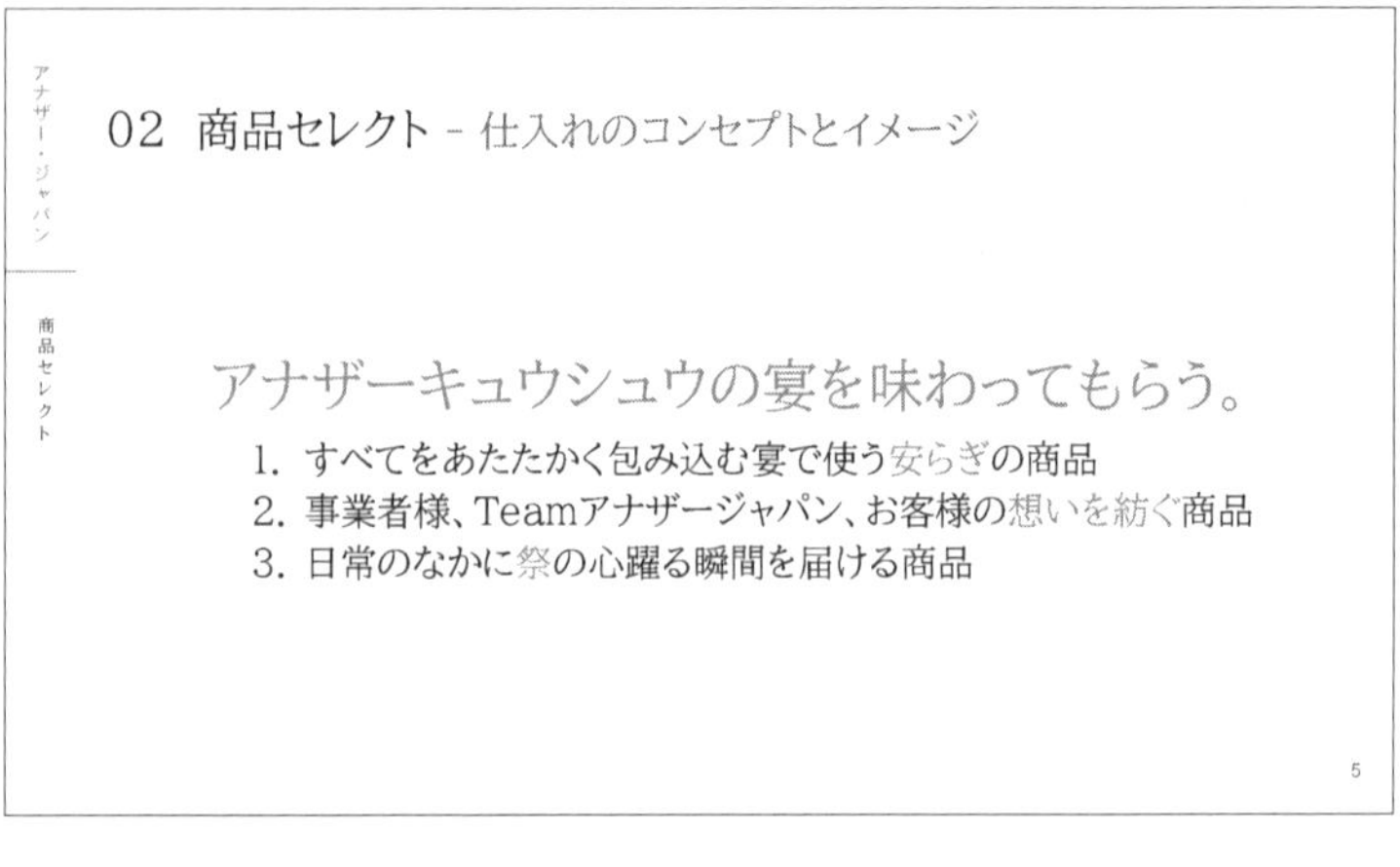
アナザー・ジャパン
商品セレクト
02 商品セレクト - 仕入れのコンセプトとイメージ
アナザーキュウシュウの宴を味わってもらう。
1. すべてをあたたかく包み込む宴で使う安らぎの商品
2. 事業者様、Teamアナザージャパン、お客様の想いを紡ぐ商品
3. 日常のなかに祭の心躍る瞬間を届ける商品
5

続いて、お店の魅せ方について、8月2日の開業前と開業後に分けてお話しします。キュウシュウ展は、開業まではセトラーとお客さんとの共有機会をつくって、宴というコンセプトを周知していきたい。セトラー全員で、InstagramやYouTubeライブを使うことも考えていて、セトラー同士で外部に発信することで想いを共有して、プロモーションしていきたいと思います。

開業後は、お客さんと一緒に宴をつくっていきたいと思います。購入してくれた人と写真を撮って、Instagramのストーリーにアップしてもらったり、また、その写真を店内に貼ることでつながりを可視化したりすることを考えています。宴の思い出など、メッセージを貼って集められるコーナーをつくるなど、参加型のコンテンツもあります。壁一面に、みんなの思い出が

キュウシュウ展の商品セレクト（時間軸）

アナザー・ジャパン

商品セレクト

02 商品セレクト – 時間軸

時間軸

- 宴の準備 – 調味料・カトラリー・服
- 宴の乾杯 – 地酒・酒器・手土産セット
- 宴の彩り – 陶器・郷土玩具（子供向け）・室内装飾
- 宴の余興 – 店内ワークショップ・イベント・ライブ・カフェとのコラボ
- 宴の贈り物 – 小物・花・手紙・宴セット
- 宴の余韻 – お菓子・茶葉・茶碗
- 宴の旅 – 現地ツアー・宿泊券

6

増えていき、お客さん同士のつながりも生まれる。宴の楽しさを提供しながら、宴を伝える店舗としてプロモーションしていきたいと思います。

こうした考えをベースに、コミュニケーションチームからアイデアを募って一緒にやっていきたいと思います。

お店では、宴に参加してもらっているかのような、明るくにぎやかな、店内360度ぐるっと見渡せて安心できる、中心から広がる輪をイメージしたレイアウトにできたらと思います。店舗内から店舗外に宴の楽しさや魅力を伝えるものを掲示したいと思います。

商品は、お酒やおつまみを比較できるブースを設けたいと思います。お酒と食品をセットで置くことで、ストーリー性をつむぎながら売り

キュウシュウ展のプロモーション案（開業前）

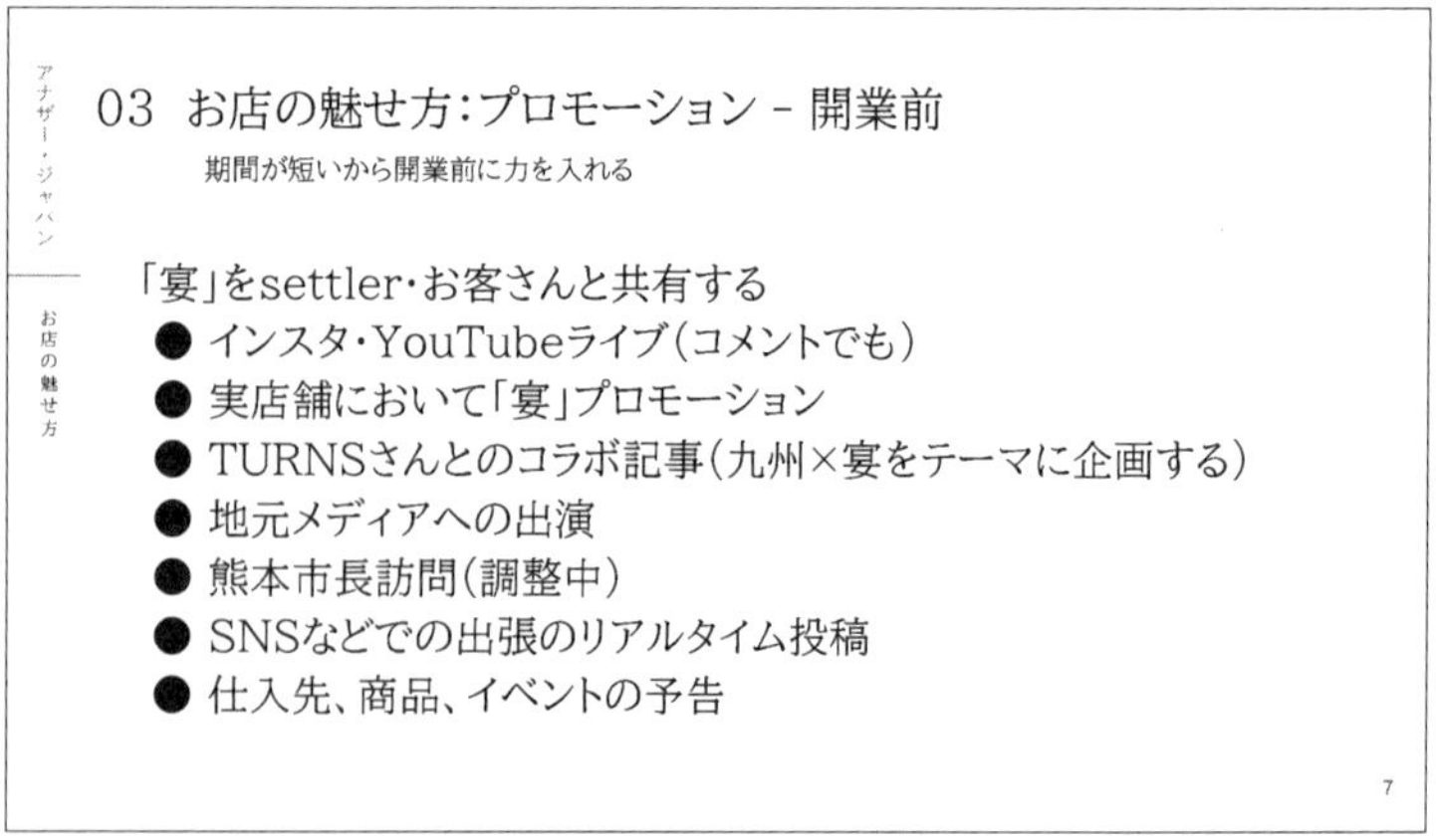

アナザー・ジャパン
03 お店の魅せ方：プロモーション - 開業前
期間が短いから開業前に力を入れる
お店の魅せ方
「宴」をsettler・お客さんと共有する
● インスタ・YouTubeライブ（コメントでも）
● 実店舗において「宴」プロモーション
● TURNSさんとのコラボ記事（九州×宴をテーマに企画する）
● 地元メディアへの出演
● 熊本市長訪問（調整中）
● SNSなどでの出張のリアルタイム投稿
● 仕入先、商品、イベントの予告
7

出せると考えています。整然と並んでいるよりも、宴を感じるような、にぎやかな陳列にしたいです。

ほかにも、エリア出張を通じて、作り手とのコミュニケーションが、目の前にある商品の印象を大きく変えると強く感じました。逆に、商品がどれだけすてきで、売り手が想いを持っていても、それが伝わらないと意味がないので、POPを置くなどで、商品の先に作り手が見える工夫をしていきます。このように、宴の楽しさを提供しながら、想いが伝わる場をつくりたいと思っています。

最後に、新型コロナ禍で宴が制限されてきたので、九州も、九州以外の人にも、改めて宴の楽しさを味わってもらえたらいいと思っています。以上、ご清聴、ありがとうございました。

フィードバック

坂本　短い期間でおつかれさまでした。キュウシュウのエリアメンターの佐藤かつあきさん（※注釈）から、「コンセプトがダメだったら、めちゃくちゃたたいてください」とのメッセージを頂いていましたが、自分的には非の打ち所がな

佐藤かつあき氏は、熊本市の一般社団法人BRIDGE KUMAMOTO代表（https://bridgekumamoto.com）。クリエイターと企業・団体・個人をつなげ、新たな協業の形を創出し、社会的課題の解決を目指す。

いと思いました。本当によくできたコンセプトとそこからの展開だと思います。そのうえで1つ聞きたいのが、あえて「宴が待ってる」としてるわけですよね。「待っている」じゃなく。

キュウシュウ　当初、「キュウシュウって宴だ」という案を考えていましたが、「待ってる」としたほうが口語的で優しいと感じてもらえると思いました。

坂本　らしさと物語性を含んだコンセプトになっていますよね。コンセプトをコアに、店の陳列まで一気通貫で、すべてがつながっています。今後、さらにいろんなギミックを思いついたりすると思いますので、このコンセプトを起点に進めていくと、素晴らしい店になると思います。本当に、あまり言うことがないです。会期中、イベントを8回やるって話でしたっけ?

キュウシュウ　1日で大きくやるよりも、会期中に8回週末があるのと、キュウシュウは沖縄も入れて8県あるので、内容自体はまだ詰めきれていませんが、毎週末、違うイベントがあるといいなと思っています。

坂本　いいと思います。あと、これだけ宴と言っているんだから、会期中のどこかで宴をしないのかなっていうことも思いました。

中川　僕もよくできていると思いました。コンセプトもステートメントもよかったですね。何がよかったかというと、九州に限らず**客観性があるんだと思います。だから、納得感がある。**お祭りもお酒も宴会も、どこにでもあるものですよね。地元愛がない地域もないし、それだけだとコンセプトになりません。しかし、キュウシュウチームのコンセプトは、**歴史や地域文化を丁寧にひも解いている。**だから宴というコンセプトは成立しているし、このコンセプトは、商品セレクトや売り場の演出、企画やＰＲに発展していく予感もします。ほかのチームにはプレッシャーになったね（笑）。

コンセプトとステートメントは非の打ち所がありません。全エリアが同じ組み立てになっているとかっこいいし整合性も取れると思うので、キュウシュウの宴のように、それぞれ、漢字一文字で表現するという統一ルールを設けるのもありかなと思っています（※注釈）。

その後、正式にこの方針が採用され、他エリアのコンセプトも象徴的な漢字一文字を定める方針となった。次ページ参照。

あとはお酒。九州の焼酎は売れると思います。日本酒は温度管理が必要だったりするけど、焼酎は常温でいけるんだっけ。そもそも、食品と非食品の比率はどうなっていますか？

キュウシュウ　食品3・5：非食品6・5と設定しています。

中川　原価率のことを考えると、ぜひ、食品3・5：非食品6・5を目指してもらいたいですね。あとは、宴というとどうしても食のイメージが強くなりますが、その中で非食品をしっかり販売するために、宴をどう分解するかはより工夫してほしいです。

セトラー同士で質問はありますか？

各企画展のコンセプト文一覧

エリア（開催順）	コンセプト
キュウシュウ	九州という**宴**があなたを待ってる
ホッカイドウ・トウホク	**奥**を味わう、ホッカイドウトウホク
チュウブ	中部って何**部**？ ～わければわけるほど面白いチュウブ～
カントウ	**集**まり、出逢い、寄り添い合う
キンキ	「ええやん！」**喋**って知るキンキ
チュウゴク・シコク	**廻**るチュウゴク・シコク

チュウシコク　キュウシュウチームのメンバー3人がお店に立っているときは想いや熱量をそのまま伝えられると思うのですが、ほかのセトラーが店頭に立つ際には、どうすれば熱量を共有できると思いますか。何か工夫があるといいなと思いました。

キュウシュウ　事前に商品紹介の時間を確保しているので、そこで商品と合わせて製造背景やメーカーさんのストーリーをお伝えします。セレクトした商品すべてに、作り手さんの想いを記したフォトブックを作って、セトラー全体で共有して、接客に生かそうと思っています。

キンキ　3人は福岡・長崎・沖縄の出身ですが、セレクトがどうしても出身県に寄ってしまうということはありませんか？

キュウシュウ　もちろん出身3県を推したい気持ちはありますが、それ以上に、出張でのいろいろな人たちとの出会いによって気づかされた九州全体の魅力を推していきたいと、今は思っています。エリア研修で、初めて鹿児島をじっくり回って、初めて会う人と仲良くなって、気持ちを共有できる瞬間があって、九州全体を盛り上げたいという意識が自然と芽生えました。

中川　発表ありがとうございました。コンセプト設計はばっちりなので、あとは仕入れの完遂、売り場演出、イベント設計などを遂行していきましょう。開業を楽しみにしています。

キュウシュウチームの３人

9章

ファンクション① プロダクト

〈この章のポイント〉

1. プロダクトチームにメインで任せるのは「商品セレクトの基準づくり」と「売り場づくり」。

2. 戦術レイヤーで重要なのは「判断の指針を統一する」こと。

3. 重視する指標を立て、レポート体制を構築し、PDCIを回せるようにする。

4. 売り場演出は「お客さんに心地よいブランド体験をしてもらう」ためにある。目的と打ち手のつながりを常に意識する。

3つのファンクションチーム

それぞれに求められるスキル

戦略は決まったものの、戦略だけでお店はできません。今後、具体的な仕組みや戦術を決めていくために、ここからは3つのファンクションチームに分かれて進めてもらいます(※注釈)。

1つ目はプロダクトチーム、これは、商品セレクトの指針や、予算やコト商品などの開発。店舗のゾーニングやディスプレー、オリジナルグッズ作りなど、商品にまつわることをやっていきます。

2つ目がコミュニケーションチーム。SNSやウェブサイトをつくるなど、コミュニケーション全般を担っていくチームになります。

3つ目がオペレーションチーム。これは、レジ周りのことや業務システム、在庫管理、バックオフィス業務的な仕組みを構築するチームです。

それぞれのチームに特に求められるスキルは、プロダクトチームはクリエイティブ、妄想する力。コミュニケーションチームは文字通りコミュニケーションの力、つまり伝える力や聞く力が必要です。オペレーションチームは、ロジカルな

戦術、ファンクションの部分は、業態やフェーズによって考えるべきことが大きく異なる。本書では小売店の肝になる部分に絞って議論を進めており、読者のビジネスに当てはまるところ、当てはまらないところが出てくるはず。ただし、戦術の肝は問題解決力とオペレーション構築であり、その考え方は共通なので、ぜひ参考にしていただきたい。

思考回路です。

中期経営計画は、18人全員で考えてきました。ですが、ここからは一人ひとりの「戦闘力」、仕事ができるかどうかがアウトプットを明確に左右します。ぜひ、その力を訓練しながら臨んでください。

プロダクト

商品セレクトのステップ

まずはプロダクトチームの肝、商品セレクトについて話します。商品セレクトのプロセスは、5つのステップに分かれています。

1. 情報収集
2. 商品セレクト＋バランス調整
3. 取引交渉
4. 数量を決定して、発注
5. 契約締結（並行して）

具体的な仕入れは各企画展の担当チームに委ねますが、横串で守っていく統一基準を決めていきましょう。

商品セレクトの戦略レイヤーの話だと、食品か非食品か、冷蔵か常温か、利益率などの話がありました。では、具体的には何を基準にして商品セレクトをするといいでしょうか？

ホクトウ　ビジョンとコンセプトにつながっているかどうかです。

コンセプトと合致しているかどうかってことですね。ほかには？

キュウシュウ　アンテナショップなどに売っている定番のお土産ではなく、その地域に埋もれているような商品をセレクトしたいと話していました。

ほかで売っているかどうか、よく見かけるかどうかも判断基準ということですね。

キュウシュウ　価格も基準の一つだと思います。

１００万円だとやらない？

キュウシュウ　その商品を求めている人がいるかどうか。言い換えると、需要があるかどうかということです。

それをもっと言い換えると、「売れるかどうか」ですね。世の中には、売れない商品もあります。

キュウシュウ　需要をつくれるかどうかっていうのもあると思います。あと、自分が欲しいかどうかは大事かなと思います。

自分が欲しいかという視点もあるし、利益率も大切だよね。売れそうな商品でも、利益率が悪いと困ります。

カントウ　自分が買いたいかに近いですが、自分が熱量を持ってその商品を説明できるかどうか、ストーリーを語れるかどうかがあると思います。

チュウシコク　商品の大きさということで、在庫管理の視点もあると思いました。

基準としては、そんなところだよね。漏れているところをちょっと足してみると、こんな感じでしょうか。

- 全体の利益率、価格
- コンセプトに合っているかどうか
- 意味がある、意味がない
- 県のバランス
- 地域性
- 工芸と工業
- ほかの店にあるかどうか
- 自分が欲しいかどうか

・大きさ、保管方法

これをベースに、重視する基準を絞り込みましょう。例えば、ほかの店にあるかどうかという基準を設けたとして、ほかの店にあったら本当に扱わないのか、そこを決めないといけません。正直、ほかの店にあるものを売らないのは現実的ではないですね。30年前だと、ほかの店にない商品を探すというのが、ある意味バイヤーの仕事だったけど、今ではそんな商品はほとんどありません。

書き出した中で、「これはあまり重要じゃない」っていうのはありますか。「自分が欲しいかどうか」はどう？　これまでの議論を踏まえて、どう思いますか？

カントウ　僕はレディース商品を欲しいとは思わないけど、売りたいとは思います。

男性向け、女性向け、子供向けみたいな基準もあるよね。自分たちの視点でいいと思えるものだけを並べるという考え方もありますが、今回は学生だけがターゲットではないので、その視点は大切ではあるものの、それがすべてではありません。

判断の指針を統一する

そのほかで気になっているのが、土地性、地域性をどう解釈するのか。あるいは、工芸と工業という言い方もできます。「キッコーマン」の醤油は千葉県で造られている。それを、千葉でできたものだからといって売るかどうか。工業製品でいろんな場所で買うことができるよね。そういう具体例を洗い出しながら、プロダクトチームで指針を決めてもらいたいです。

地域性があったほうがいいのであれば、何をもって地域性があると判断するかを詰めないといけないよね。例えば、新潟の燕三条には食器を作っている会社がいっぱいあります。「カイ・ボイスン」という、デンマークの有名なデザイナーのカトラリーも燕三条で作っています。それを扱うかどうか。地域産品だけど、デザイナーは海外の人というケースです。

燕三条ではほかにも、大阪のgrafっていうデザインオフィスのカトラリーも作っている。カイ・ボイスンのものがダメだとしたら、国内デザイナーがデザインしたものはどうなんだろう。あるいは、燕三条には山崎金属工業というメーカーがあって、ここの製品はよく見かけます。この3つのどこに線を引くのか。カイ・ボイスンはOKと思う人？　ちなみに、めっちゃ売れてます。

――（誰も手を挙げない）

grafの「SUNAO」は？　これも売れるよ。

――（2人挙手）

じゃあ、山崎金属は？

――（全員挙手）

なるほど。これはOKってことね。今みたいな例を出して考えると、みんな迷うじゃないですか。同じ迷いをみんながバラバラに考えて結論を出していくとその都度時間がかかるし、アナザー・ジャパンらしさが失われかねません。こういうことに対して**統一指針を出す必要があります**。

具体と抽象を行き来すると、指針が見えてくるよね。それでも最後、どれを選ぶかは迷うし、みんなの感性に頼らざるを得ません。けど、基本の枠組みを決めておくことが大事です。

利益率と食品比率の決め方

利益率の話は、最初にシミュレーションして、損益分岐が月商500万円くらいということだったので、そこにハマるように考える必要があります。どういう比率で商品をセレクトしたら、どれくらいの利益率になるのか。エクセルで表を作っていると、常に損益分岐点が動きます。そこに正解はないですが、これで指針を出す。雰囲気じゃなくて、これでやると決めてみる。

食品のほうがセレクトしやすいけど、アナザー・ジャパンの食品比率を10％上げると、損益分岐点が10万円アップします。食品比率を70％にすると、必要な売り上げはさらに10万円上がりますが、これはどうですか？　ちなみに、食品とプロダクトの比率はどうしたいですか。食品多めがいい人？

――（半分くらい挙手）

残りの人はどっちでもいい？　残りはプロダクト多め？　まあまあ同数くらい

ですね。じゃあ、そこはみんなに任せます（※注釈）。

商品を仕入れるときの大前提は、売れるか売れないか。それが勝負なわけですよ。でも、それが分からないから苦労する。

それに加えて、意味がある商品と意味がない商品というのもあります。意味の捉え方もいろいろあると思うけど、目立つ商品というのもあります。お店で目を引くのも意味だし、ストーリーがあるというのも意味。話すと、買ってもらえなくても盛り上がるというのも、意味があるよね。では、一番いい商品は何でしょうか。

チュウブ　売れる、かつ意味がある。

じゃあ一番よくないのは？

キュウシュウ　売れないし、意味がない。

売れるけど意味がないっていうのは？

最終的に、利益率を考慮して、食品比率は35％に設定して走り出した。

カントウ　難しいです……。

意味があるけど売れないのはいいの？

カントウ　生産者さんの思いがあるのであれば、挑戦してみたいです。

チュウシコク　質問があります。「意味がある」というのはどういう基準で考えるといいのでしょう。

アナザー・ジャパンが取り扱う意味がないけど、売れるものってありそうですよね。例えば、キュウシュウ展で、銘菓の「博多通りもん」を置いたら売れるとは思うんですよね。でも、アナザー・ジャパンで取り扱う意味は薄そうです。そういうものをやるかやらないか。

もちろん意味も売り上げもあるのが理想ではあるけど、現実、そうならないことは起こります。月に５００万円売れないと赤字になっちゃって、それが続くと店はつぶれます。プロのバイヤーが仕入れたって、現実にはそうなることもあります。「面白いんだけど売れないわ」っていうものを許容しますか。僕としては、許容してもいいと思います。

ほかにも、店内で、目に入ってくるものってありますよね。棚を見ると、手が届かないところにも何か飾ってあったりするじゃないですか。バイヤーの山田遊さんの本を読むと、VP（Visual Presentation：ビジュアル・プレゼンテーション）という考え方が紹介されています（※注釈）。全部売り上げを狙いにいったら、小さくまとまった売り場になるので、バランスに気をつけないといけません。

ホクトウ　販売するつもりはないけど、展示品として置かせていただくとかはあり得るのですか？

メーカーさんとの交渉次第だと思います。10アイテムは仕入れて、1つは展示品として取り扱わせていただくということはあります。でも、その商品しか扱わないで、しかも売れる見込みが低いというときは、あらかじめ買い取らせていただくというやり方のほうがいいと思います。展示用と思って置いていたものが思いがけず売れたりすることも起こり得るので、その場合は機会損失につながって

『カリスマバイヤー、ヤマダユウが教える デザインとセンスで売れる ショップ成功のメソッド』（山田遊著、誠文堂新光社、2014年）

しまう。展示品も含めて、全部売れる体制にしたほうがよさそうです。

今ここで出たような論点は、各企画展チームが同じ道を通ります。なので、プロダクトチームが代表して指針を示しましょう。

発注数をどのようにコントロールするのか?

商品が決まったとして、それをどのくらい発注するのか。これは、幅と深さの話ね。アイテム数ともう一つ、SKU(Stock Keeping Unit:ストック・キーピング・ユニット)という在庫管理の最小単位の話をします。

1つの靴下のサイズが3つあってカラーバリエーションが5色あると、アイテムとしては1アイテムだけど、SKUだと15SKUです。アナザー・ジャパンの店舗は20坪くらいなので、300～500SKUが必要だろうと思います。100SKUだと棚がスカスカになってしまいます。棚に商品がしっかりないと、売れる店になりません。初期は300～500SKUと仮置きして、実際に並べてみたら最適な数が分かると思うので、そこは開業後に本格的に決めてください。

そして、1SKUにつきどれだけ発注すればいいんでしょうか。売れそうだし、ストーリーもある1000円の靴下を、1SKU当たり何個仕入れますか。

キュウシュウ　2カ月間でですよね？

そう。例えば、2カ月で15個くらい売れるかなと予想しているとします。それで確定なら15個仕入れればいいんだけど、実際にどれだけ売れるかは神様にしか分からない。多めに30個仕入れるのか、慎重に5個だけ仕入れるのか。どっちがいいと思いますか。

チュウシコク　30個仕入れる派です。理由は、もし売り切れてしまって、もっと仕入れていたらよかったと思うと、売れたはずの損失があるなと思ったからです。

機会損失があるということですね。在庫があれば売れたわけだから、だったら最初から30個仕入れておこうという考え方ですね。仕入れは5個がいいと思う人の反論は？

カントウ　売れたらまた、追加で仕入れたらいいと思います。30個入れて、実際には1個しか売れなかったときのリスクが大きいので、まずは5個がいいなと思いました。

答えは、追加発注してすぐ届くようなら発注は少なめにする。逆に、追加発注しても納品まで2カ月かかるなら、最初から多めに仕入れておくということです。すぐ仕入れられるなら、初日で2つ売れたら追加発注すればいいよね。在庫がなくて、新たに作ってもらうのに1カ月かかるなら、バランスを取らないといけません。なので、大切なのは追加発注とそのリードタイムです。基本的には、そうやって商品ごとの仕入れ数を決めていきます。

それぞれどれくらい売れるのかを考えて、SKUごとに初期発注数をつけていきます。その結果、合計で初期発注金額が1500万円になったとします。これは大丈夫ですか？　売り上げ予算は年間1億円で、うまくいけば月800万円。現実の損益分岐点は月500万円。なのに、仕入れが2カ月で1500万円というのは無理があるよね。もし、月の売り上げが500万円想定であれば、全部売れたら500万円くらいになるように初期発注してください。これで、仮に月250万円しか売れなくても、2カ月間で消化できます。最悪の最悪、売れないときのことも考えて、リスクヘッジも意識しておかないといけません。

ただのお勉強で終わってしまわないように、これを、キュウシュウチームからうまくできるようにしておかないといけません。エクセルで商品管理シートを作って、それぞれの仕入れ先の商品ごと、ＳＫＵごとに初期発注は幾つって決めて管理してください。商品が売れて在庫が少なくなってきたら、追加発注して、会期の2カ月間が終わったときに何が何個売れたか。キュウシュウチームの結果を見て、以降のチームが役に立てられる材料を増やしていきましょう。

もし、初月から月７００万円売れていたら仕入れる数を増やさないといけないし、逆に月50万円しか売れなかったらどんな対策をするべきか。記録の残し方は、レジの機能にも頼るべきだし、その辺のフォーマットも決めておきたいです。

オペレーションチームの領域とも重なってきますが、「各企画展が終わったら振り返りのリポートを出そう」とか、「企画展終了後、10日以内にリポートを出そう」と決めて運用していきます。

消化率とは何か？

２カ月の企画展という性質上、消化率にもこだわらなくてはいけません。消化率の見方にはいろいろあります。総仕入れ数を分母とするケースだと、最初は5

個発注して、最終的に50個発注してお店で30個売れた場合、総発注数を分母にすると60％消化となります。初期発注に着目して、初期発注の５個を分母にして消化率６００％という考え方もあります。最初の１カ月で幾つ売れたかという視点もあり得ますよね。いろいろな算出方法があります。

何を見ると改善につなげやすいかを考えて、どういう数字を消化率と呼ぶか、チームによって消化率の意味が違ってしまうと困るので、報告書のフォーマットに統一の指標として埋め込む必要があります。

売り上げが１０００万円でも消化率が10％しかなかったら、売り上げ８００万円で消化率がもっと高いほうがいいことになります。売り上げも大切ですが、消化率もフォーマットに入れて、みんなが使えるような状況にしておいてください。なぜリポートが必要かというと、次の企画展をよりよくするために使いたいからです。いかに店のＰＤＣＩを回せるかが店の力を決めます（※注釈）。

以上で、業務をどのようにつくっていくかが、何となく分かったでしょうか。残念ながらすべてを網羅的に教えることはできないので、エッセンスが分かるといいなと思います。あとは実践で固めていきましょう。

リポートの必要性、PDCI（後述）の回し方などは、11章オペレーションを参照。

プラスアルファを考える

こうやってさまざまなルールを決めていきますが、どんなに細かく決めても、それだけでは売り上げは上がりません。売り上げを上げるには、正確で速いだけではなく、プラスアルファも考えないといけません。

例えば、アナザー・ジャパンらしい、いろんな商品をセレクトしてくるじゃないですか。その中で、例えば、「〝個人の偏愛的なコーナー〟をつくっていいよ、3SKUだけならOKだよ」とか。そうすると面白いことができて、売り上げが上がる可能性があるよね。そういうのを考えるのが、プラスアルファの部分です。

ルールを決めただけで、それで月500万円いけるかというと難しいと思います。そこで、プラスアルファのアイデアを5分間、個人ワークでもグループワークでもいいので考えてください。出てきたアイデアは、最終的にはプロダクトチームに引き継ぎます。コト系商品はまた別として、今回はモノ系商品で考えてください。

チュウブ・キンキ　「季節行事コーナー」というのを考えました。クリスマスやバレンタインデー、こどもの日といったイベントです。

カレンダー的な話ね。地域性もあったほうが面白いから、その地域のお祭りに関連する商品をセレクトできたらいいんじゃないかと思いました。チュウシコク・キュウシュウチームは？

チュウシコク・キュウシュウ　2つあって、1つがオーダーメイド商品。もう1つが、1つのテーマで比較するコーナー。例えば、キュウシュウであれば竹素材の商品がいろいろあって、それを県ごとに比較したり、ご飯のお供となる食品を各県から集めたりするコーナーです。

職人さんにアナザー・ジャパンに来てもらう、「今月のオーダーメイド」みたいなのがあってもいいですね。1つの要素に着目して、地域ごとに商品を集めるというアイデアもよさそうです。ご飯のお供は、かなり地域性が出そうですね。ホクトウ・カントウチーム、お願いします。

ホクトウ・カントウ　何か1つテーマを決めて、それぞれの県からセレクトして売るのがいいと考えました。食べ物なら食べ比べができて、ほかの県のものも買ってみたいなとなって、売り上げにも貢献できます。セット商品というアイデアもあって、そこで、新しい価値みたいなものが出せたらと思いました。

各県ナンバーワンのお菓子を集めて、キュウシュウ・ナンバーワンセットとかやっても面白いですね。今、みんなに挙げてもらったのはジャストアイデアで、これを企画に仕上げて売り上げに直結させるのがプロダクトチームの役割です。

売り場演出

売り場をつくる

売り場演出は、商品を並べるに当たってのコツやルールの話になりがちですが、そもそも、「何のために売り場を演出するのか?」「それによってどこの数字が変わるか」を理解してもらうことが大切です。売り場演出の目的がふわっとしているのと、しっかり頭に入って理解しているのとでは、みんなの動きが全然違ってきます。

売り場演出は一言で言えば、「**お客さんに心地よいブランド体験をしてもらうた**

めに、**売り場を視覚的に演出すること**」が重要です。いろんな演出方法を組み合わせながら進めていきますが、売り場演出の目的は大きく5つあります。

①居心地のいい空間をつくる
②入店のきっかけをつくり、入店率を上げる
③セルフで買いやすい提案を行い、セルフ客を増やす
④セット商品の提案を行い、購入単価を上げる
⑤売り場に活気を与える

1つ目。棚にお皿が並んでいたとして、手に取ったときにほこりがたまっていたりしたら、嫌だなと思いますよね。お客さんを迎えるときには、自分の家に人を招くのと同じように、きれいにし

売り場演出の目的

① 居心地のいい空間をつくる

② 入店のきっかけをつくり入店率を上げる

**③ セルフで買いやすい提案を行い、
セルフ客を増やす**

④ セット提案を行い、購入単価を上げる

⑤ 売り場に活気を与える

ておいて、気持ちよく過ごしてもらうこと。陳列がきれいなスーパーと汚いスーパーがあったらどっちに行きたいでしょうか。売り場が荒れていると、「この店、入っちゃいけないのかな」とさえ感じることがあると思います。照明や音響も居心地を左右します。

2つ目は、入店率を上げる。売り場や入り口、ファサード（店の正面デザイン）はお店の第一印象です。街を歩いていて、外から店を見て、視覚的にいいなとか、気になるなとか、この店に入ろうかなと思うと入店につながります。にぎやかな感じのお店も、足が止まって入ろうと思いますね。ほかにもさまざまな要素がありますが、遠くから見たときには色が一番大切です。あと、人は動いているものに目が行くので、店内のスタッフが活発に動いていて、「動きのあるお店だな」と感じる

館の客数からの分解

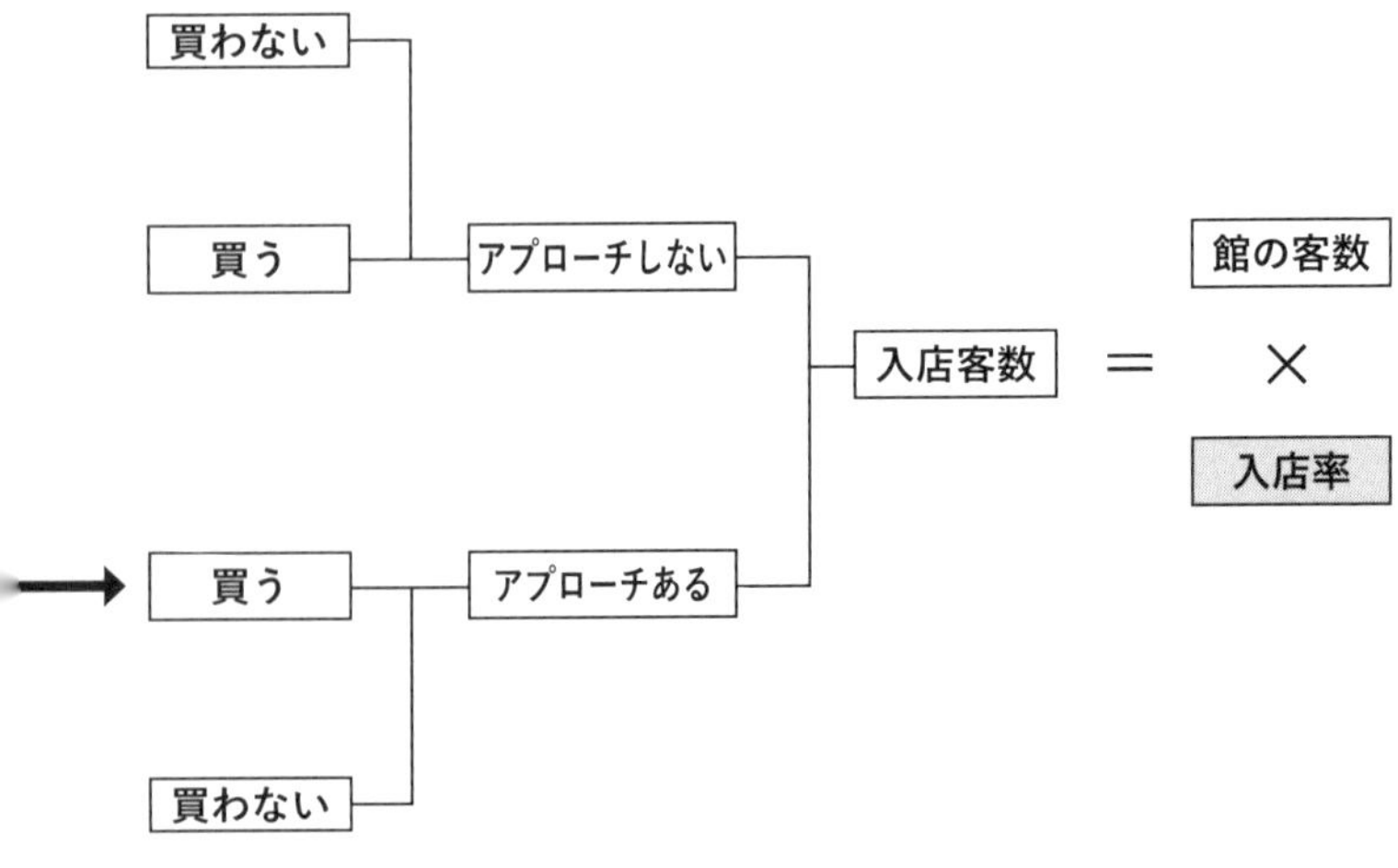

と来店しやすい傾向にあります。

次ページの写真は中川政七商店の正月のディスプレーです。しめ縄飾りがあって、正月だなと思わせる第一印象をしていて、さらに空調の風を受けてたこがゆらゆら動いています。アナザー・ジャパンの店舗で考えたほうがいいのが、入り口の所にある棚です。鳥居に見立てた赤い布が下がっている場所には、外から見える唯一の棚があります。ここを定期的に変えるというオペレーションを組んだほうがいいですね。

3つ目は、セルフで買いやすい提案。商品を並べるときには、平皿を単体で置くよりも、飯碗や汁椀、箸も一緒に見せるほうが効果的。土鍋としゃもじを並べることで、土鍋ごはんをイメージさせます。**商品と商品を組み合わせることで、商品を使うイメージを提案できるのがいい売り場です。**こう

売り上げからの分解

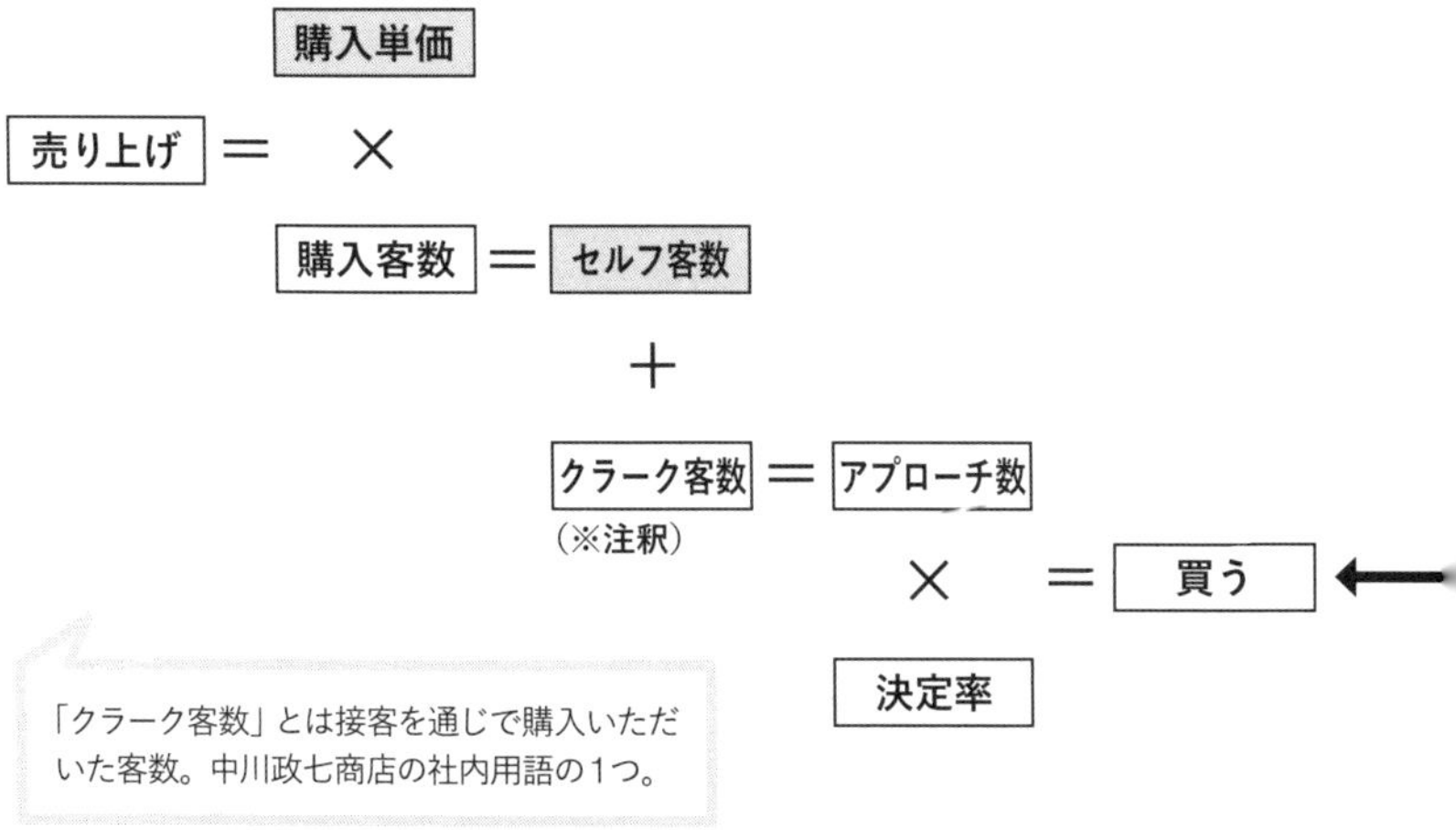

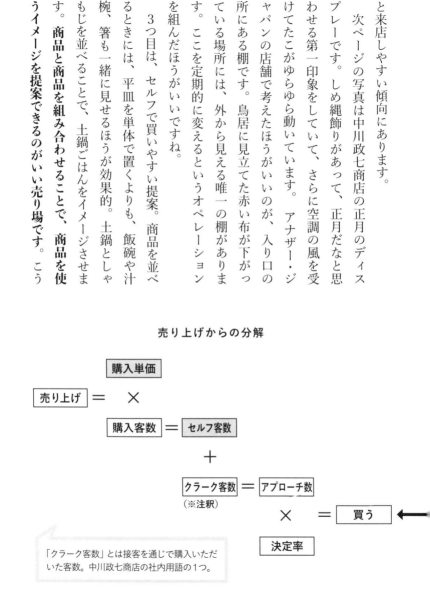

②入店のきっかけをつくり、入店率を上げる

③セルフでも買いやすい提案をする

することで、一人ひとり接客しなくても使うシーンをイメージできるので、購買につながりやすくなります。

4つ目が、セット提案で購入単価を上げる。コーディネートしておいて、合わせ買いしてもらうようにする。さっきのような食卓シーンを提案していくのも有効です。

5つ目が、売り場に活気を与える。頻繁に来られるリピーターのお客さんもいて、そういう人に対しては、ディスプレーを変えたりすると新しい印象を与えることもできますし、売り場の棚替えをすると不思議なことにお客さんが寄ってきやすい。なので、売り上げ的に問題がなくても、日常的に売り場を変えていくことが欠かせません。

1の居心地や5の活気は感覚的なところ。2の入店率や3のセルフ客、4の購入単価は数字に表

④セット提案を行い、購入単価を上げる

れます。売り上げの構造分解をすると5つあって、その中で売り場演出が関係するものは、「購入単価」と「セルフ客数」「入店率」です。何か問題があったときに売り上げを構造分解して、**どこに問題があるかを見つけて、状況を見て解決手段を変えていきます**が、売り場演出はこの3つに関係しています。あとの2つ、「アプローチ数」「決定率」は、売り場演出とは直接は結び付かないものの、アプローチ数は接客、決定率は接客と品ぞろえが関係しています。

商品陳列と売り場メンテナンスとは？

この5つの実現に必要なのが、**商品陳列と売り場メンテナンス**です。商品陳列は、商品をどこに、何と一緒に、どのように置くかを決めることです。棚割りとも呼びます。棚割りを決めるときの定石

売り場演出で手を打てる数字

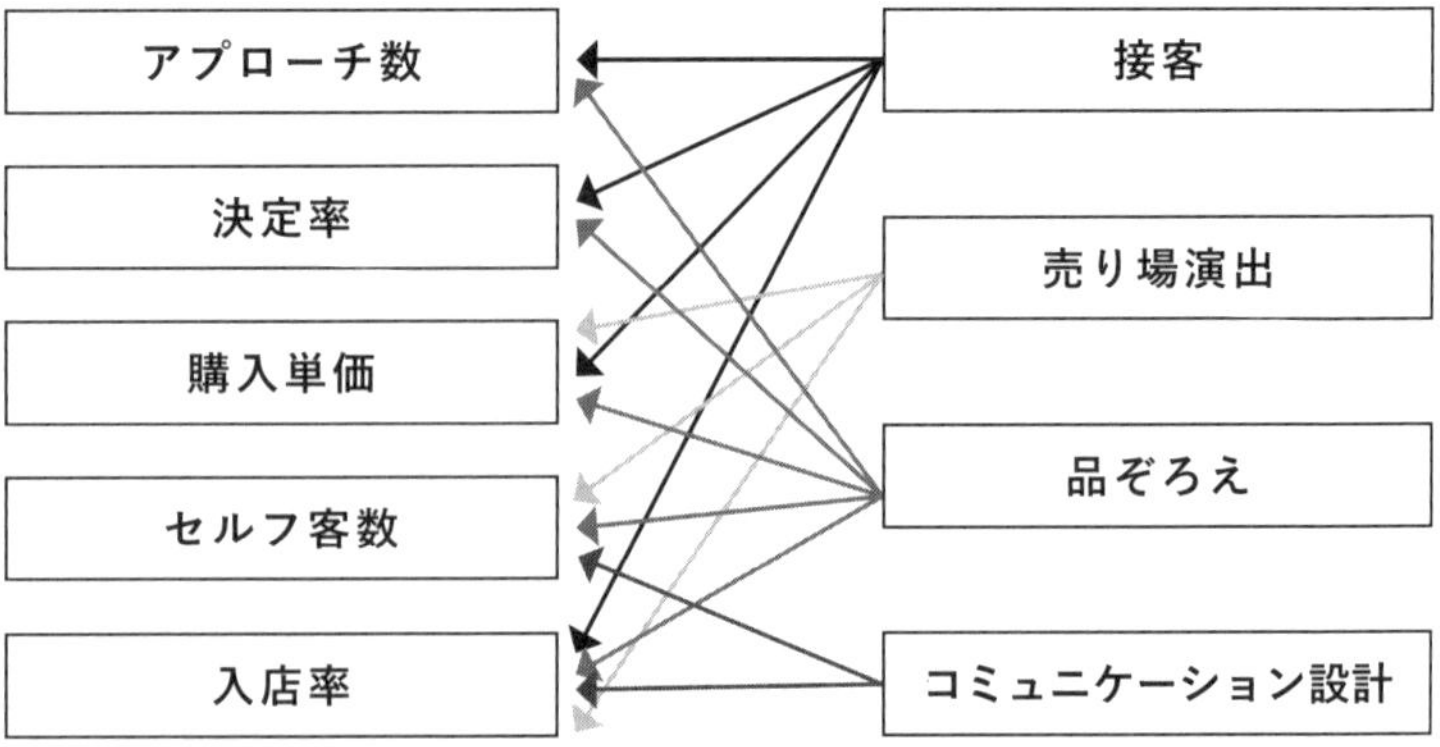

は、人の目線に合わせること。棚の見やすい場所、手に取りやすい場所はある程度決まってきます。棚は、膝くらいまでの高さなら手に取れます。高さでいえば、背よりも高い場所にある商品は手に取るのが怖いと感じられます。つまり、膝の高さ、頭の高さを意識してください。その中でも最も見やすいのが、首や胸の高さまでです、この位置がゴールデンライン。ここに、一番見てもらいたいもの、一番伝えたいものを置いてください。その上下に、関連商品を置くという考え方ですね。

膝よりも下のスペースは視線も手も届きにくいですが、目線より上のスペースは、手は届かないものの視線は届くので、大きめの商品やPOPなどの販促物を置いて商品演出に使える見せ筋スペースになります。その棚のゾーニングがひと目で分かるものを、棚の一番上に置くという考え方も

5つの目的を実現するためにやること

〈商品陳列〉	〈売り場メンテナンス〉
商品をどこに 何と一緒に どのように置くか	**商品陳列された ベストな状態を キープする**
基本は見やすく 選びやすく 取りやすく	

あります。膝より下のスペースは、在庫を置いたり、購買頻度が低い商品を置いたりする使い方になります。

商品陳列の考え方は、1つ目が、同じカテゴリーの商品をまとめること。関連性が高いものを隣同士に並べるというのが基本的な考え方です。さらに、カテゴリーを超えた商品を並べることもあります。例えば、棚のテーマを土鍋ごはんにしたら、その隣に調味料。しゃもじなどの調理道具。2列目はグリル皿、グリル皿の隣にオイルポットやココット、その下の棚にまな板と包丁といった具合に、連想ゲームのように並べていきます。

商品陳列の2つ目の考え方は、目線を大事にすること。人の目の動きは、左から右へ、上から下へと流れます。つまり、目立たせたい商品はZを描くように置くのが効果的です。

商品陳列どこに——置くか

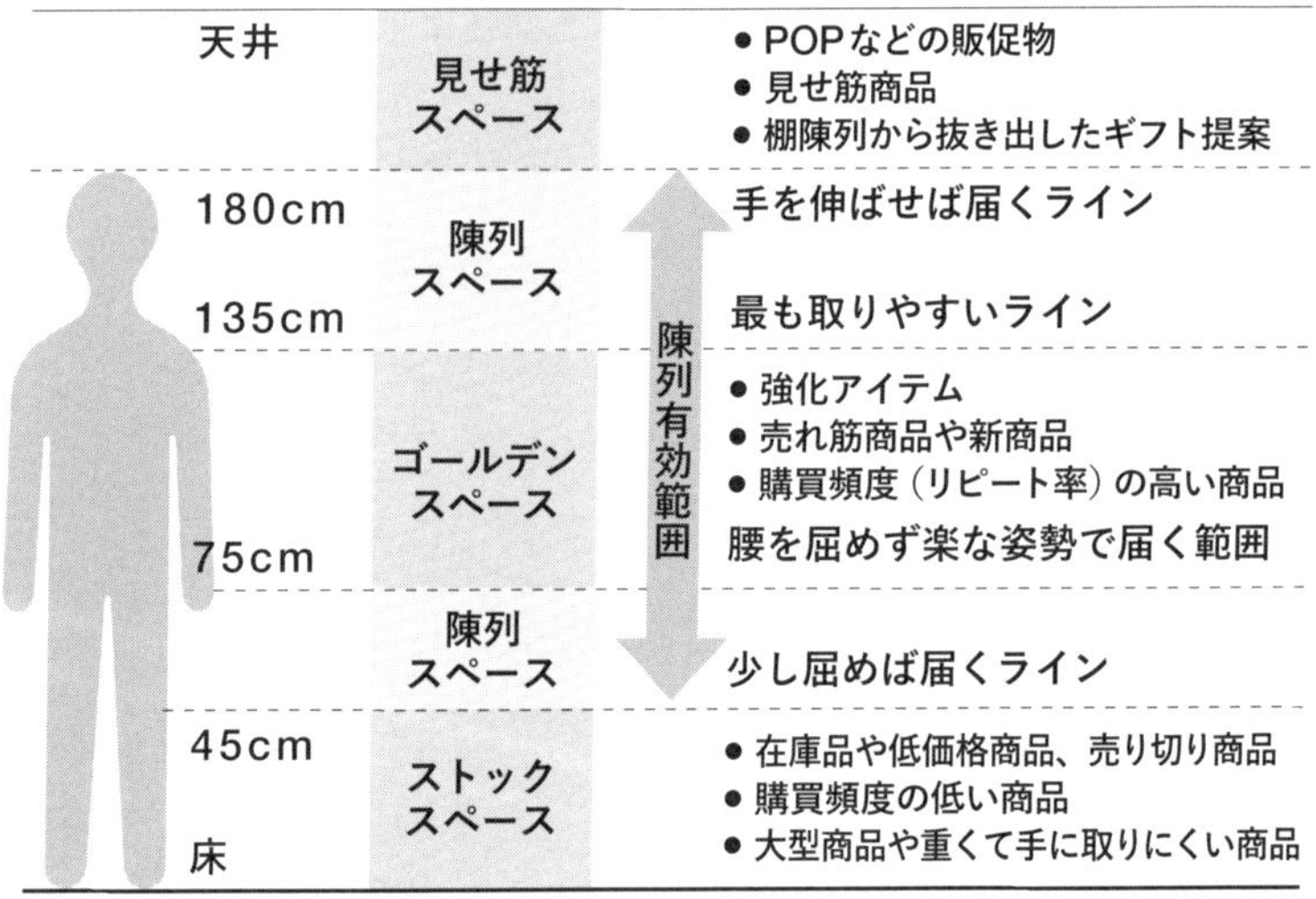

どのように置くかの代表的なテクニックが、三角構成とリピート構成です。三角構成は、商品を組み合わせた形が三角形になるような置き方で、まとまり感を演出できます。リピート構成は、同じ商品を繰り返す並べ方。この時、ジャム瓶を並べるとしたら4つよりも3つ並べたほうがきれいに見えます。偶数よりも奇数のほうがきれいに見えるのです。

棚割りに迷ったら、「見やすく、選びやすく、手に取りやすく」という基本ルールに戻りましょう。あくまでも重要なのは、商品が見やすいか、選びやすいか、手に取りやすいかです。

売り場メンテナンスは、商品陳列のベストな状態を保つことです。でも、中川政七商店のベストな商品陳列と、無印良品のベストな商品陳列は違います。どんな状態がベストかは、企業やブラン

商品陳列——何と一緒に置くか

ドの考え方を反映させる必要があります。ここでも大切なのはやはり、心地よいブランド体験を提供するために、売り場を視覚的に演出することです。アナザー・ジャパンにとって何がベストなのか、ぜひ自分たちで考えながら試行錯誤していってください。

日本一の城を造るために石垣を積み上げる

最後に、心構え的な話を一つだけさせてください。

大阪城の石垣の話って聞いたこと、ありますか？　豊臣秀吉が大阪城を造ったときに、石垣を積むために、職人さんが全国から集まってきた。職人さんは一人ひとり、なぜこの石垣を積んでいるかという意識が違ったそうです。ある人は、単に目の前にある石を積み上げている。ある人は、

商品陳列――どのように置くか（目線）

●人の目の動きを利用する

人の目は左から右へ、上から下へとアルファベットの「Z」の順に動くといわれています。
その行動特性を利用して左から右へ、上から下へ商品陳列を行えば、売りたい商品を目立たせることができます。

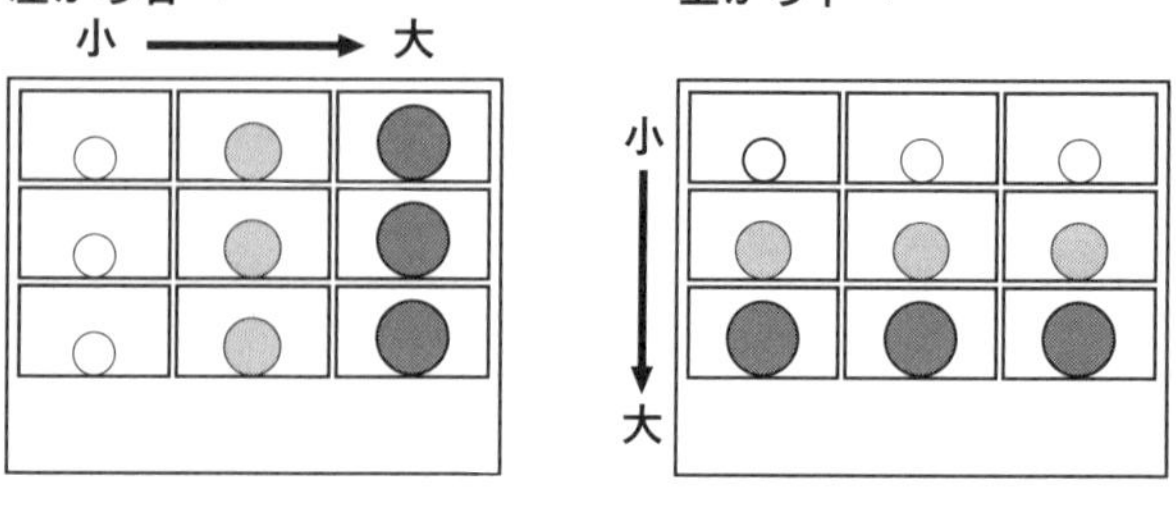

商品陳列——どのように置くか（構成）

●三角構成

商品の組み合わせた形が三角形になるような構成。
安定感があり、バランスもよく見え、
まとまり感のあるディスプレーができます。

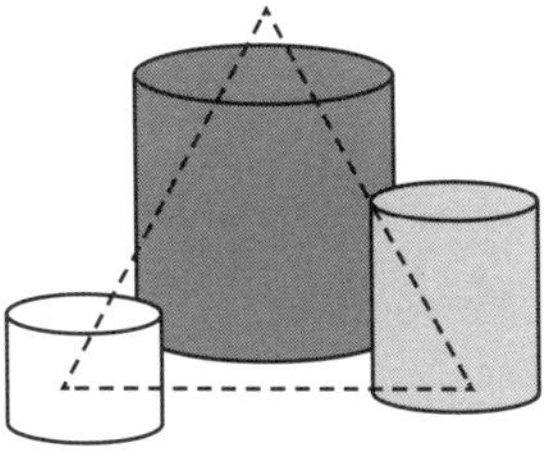

正面から

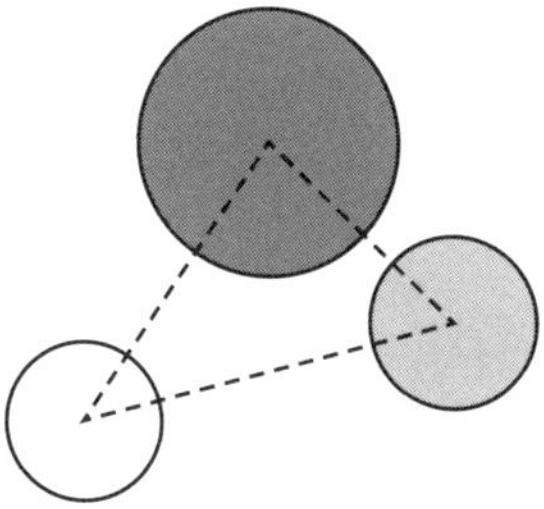

上から

●リピート構成

同じ物を繰り返す構成。バランスがよくまとまりがあり、
インパクトを与えます。単品・構成したものを繰り返します。
繰り返す数は3回くらいがバランスがよいです。

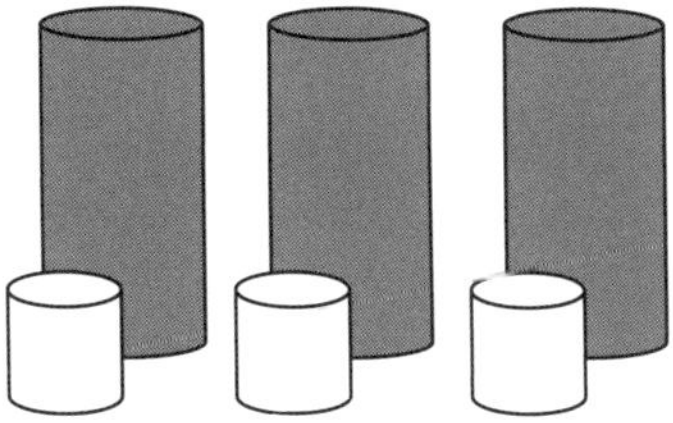

正面から

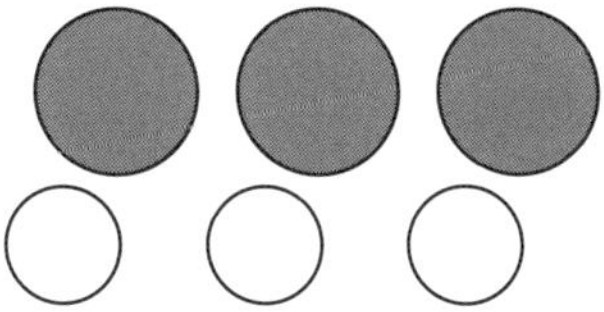

上から

日本一の城を造るために石垣を積み上げている。

そういう意識は、仕上がりに大きな影響を与えます。今回、セトラー18人で設営するのはかなりレアなケースで、こんな大人数で設営できる機会はあまりありません。みんなで力を合わせて、目の前の石垣を積むことにとらわれず、お店を通じてどんなブランド体験をしてもらいたいかを忘れずに、楽しいお店にしてもらえたらと思います。

10章

ファンクション②　コミュニケーション

〈この章のポイント〉

1. コミュニケーション設計とは「正しく伝わるのか」を統合的に考えること。
2. 設計の肝は「情報の整合性」が取れていること。
3. 設定したコミュニケーションの核を基に、「手口ニュートラル」に考える。
4. コミュニケーションに最も重要なのはテクニックではなく「愛と積み重ね」。

コミュニケーション総論

コミュニケーション設計とは何か？

中川　このパートは、中川政七商店で広報PRを担当する佐藤菜摘が説明します。

佐藤　よろしくお願いします。さて、ここまでの研修で、アナザー・ジャパンのビジョンと競争戦略ができました。

では質問です。よいブランド、よいお店、よい商品は、何もしなくても売れるでしょうか？

答えはノーです。素晴らしいビジネスアイデアや商品が生まれると、当事者としては、「それで十分売れる」と思ってしまいがちです。でも、世の中には魅力的なものがゴマンとあります。その価値がお客さんに伝わらなければ、手に取ってもらえません。どんな商品やサービスも、届ける相手、つまり**世の中やお客さんに「伝わって」、初めて意味を成します。**

コミュニケーション設計とは、どうすれば「正しく伝わるのか」を統合的に考えることです。ここで取り上げるのは一般的には営業戦略や流通戦略、プロモーション、PRといった部分に当たりますが、それらを**個別バラバラにではなく、統合的に考えるのがコミュニケーション設計**です。

大切なのは、すべての「情報の整合性」が取れていること。整合性とは、物事や言動に矛盾がなく、一貫していることを意味します。例えば、「東京ディズニーランド」のコンセプトは「夢と魔法の王国」ですが、「キャラクターと写真が撮れるテーマパーク」や「スリリングな乗り物がある遊園地」など、タッチポイントによってまったく別の表現をしていたらどうでしょうか。頭の中で思い浮かべるディズニーランドのイメージが、出合う情報によってバラバラになってしまいますよね。

確かに、会社組織の中では実行する部署が異なるため、各部署がそれぞれの戦略を立てがちなのですが、そもそもお客さんの頭の中にできるブランドイメージは1つです。どの経路から情報が入ってくるかは関係ありません。雑誌やSNS、売り場などあらゆる経路から入ってくるさまざまな情報を頭の中で混ぜ合わせて、1つのブランドイメージができていくのです。

ゆえに**ブランドのコミュニケーション戦略は組織を横断してワンテーブルで検討・決定し、実行段階で初めて部署ごとに分かれるべきなんです。**

それでは具体的に、整合性の取れた統合的・統括的なコミュニケーション戦略を設計するためのフローを説明していきます。

コミュニケーション設計の流れ

⓿ビークルの整理

いきなり戦略を考える前にまず、自分たちにはどんな**ビークル**（**伝達手段**）があるかを把握・整理しておく必要があります。これは毎回生まれ変わるものではないので、常に一元化しておくようにしましょう。

会社全体が持っているコミュニケーションの手口は、様々な部署に分散しています。出店や催事は営業部、メディアリレーションは広報部、ＥＣサイトは販売部など、会社のどこにどんな手口があるのか、その全貌を把握できる人は少ないのではないでしょうか。しかし、手口の全貌を理解し

コミュニケーション設計の流れ

⓿ ビークルの整理

---

❶ ゴール設定（届ける相手、定性、定量）

❷ 現状と課題の洗い出し

❸ リサーチ

❹ 届ける手口を決める

❺ 制作・実行

たうえで考えないと、効果的なコミュニケーションは図れません。

まずはとにかく、全ての手口を書き出してみましょう。

そうすると、自社で比較的コントロールが可能なものと、コントロールが難しいものとに分かれます。オウンドメディアやお金を費やす広告はコントロールしやすいですね。でも、オウンドメディアだけだとＰＶやフォロワーが限られるので、拡散力や説得力は弱いです。一方、テレビや雑誌などの外部メディアは拡散力は高いですが、自分たちで露出や内容が決められるわけではないのでコントロールしにくいです。

アナザー・ジャパンの場合はどんな手口がありそうでしょうか？

キンキ　自分たちの所属する大学を活用するのは考えられそうです。

キュウシュウ　企画展ごとに60社近くとお取引するので、その事業者さんに協力いただくこともできそうです。三菱地所や中川政七商店の広報力も活用できたらうれしいです。

一般的なビークル例

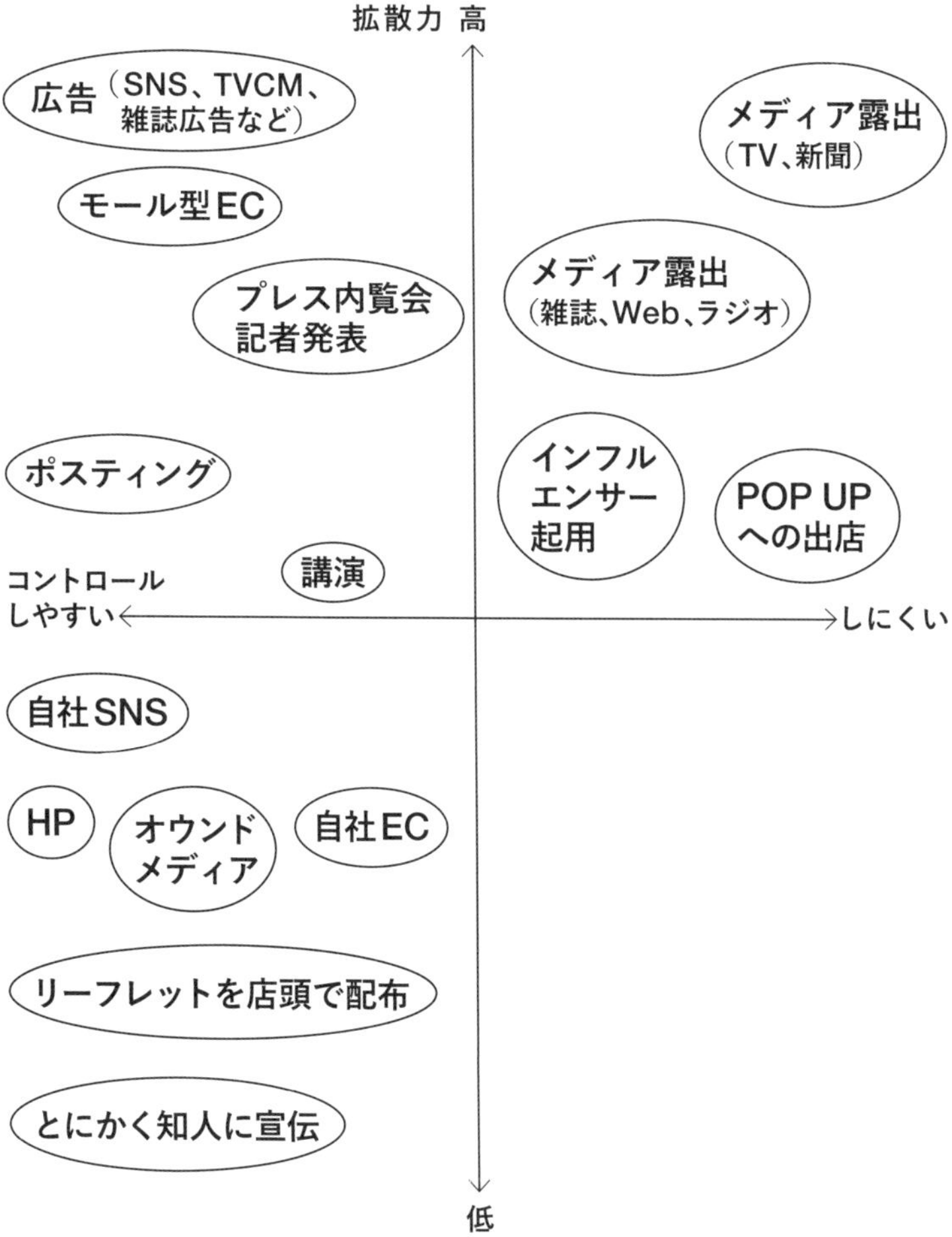
拡散力 高
低
コントロール
しやすい
しにくい
広告（SNS、TVCM、
雑誌広告など）
メディア露出
（TV、新聞）
モール型EC
プレス内覧会
記者発表
メディア露出
（雑誌、Web、ラジオ）
ポスティング
インフル
エンサー
起用
POP UP
への出店
講演
自社SNS
HP
オウンド
メディア
自社EC
リーフレットを店頭で配布
とにかく知人に宣伝

いいですね。どんどん洗い出していってください。

ここで大事なのは、これらの手口をすべて実行しようと思わないこと。社内には限られたリソースしかないので、時間と費用と実現可能性、目的、効果を総合的に勘案し、筋のよいものに絞って実行に移すべきです。

❶ゴール設定

前提条件が整理できたら、いよいよ戦略を立てていきます。

具体例があるほうが分かりやすいので、2021年12月の「アナザー・ジャパンのプロジェクト発表」を例に説明しましょうか。アナザー・ジャパンというプロジェクトを世の中に初めてお披露目しようとしたときのコミュニケーション戦略です。

といっても、「いきなり記者会見をやりましょう!」などと手段から考え始めるのは言語道断です。手口を決めるのは一番最後。まずは、**「何のためにコミュニケーションをするのか?」というゴール設定**から。すべてのコミュニケーション活動は、このゴールに向かって行われる必要があります。コミュニケーション設計におけるゴール設定は3つの観点で考えます。

観点① 届ける相手

コミュニケーションにおいて絶対忘れてはいけないのは、届ける相手がいるということ。そして人の興味関心は多様です。世の中の全員が魅力的に感じるコミュニケーションはありません。どんな人にリーチしたいか、ターゲット像を明確にしましょう。

アナザー・ジャパン始動の情報は、まず誰に届ける必要があったと思いますか？

チュウブ 私たち学生ですか？

佐藤 そうなんです。今回は、まず主役である学生がいないとプロジェクトが始まらないので、地方創生や経営に関心のある学生に情報を届ける必要がありました。そして、「日経新聞を読んだり学生団体に参加したりしているようなビジネス感度の高い層」など、なるべく具体的に定めました。また、社会全体で育てていくプロジェクトにしたかったので、サポーター企業や地域事業者など、そういったステークホルダーも対象にしました。

ここで学生というターゲットを意識せず、「とにかく広く伝わるようにしよう」

と考えてしまうと、この後の打ち手が変わってきてしまいますし、おそらく学生には届かないようなことになってしまっていたと思います。「届ける相手は誰なのか」を、常に大事にしてください。

観点②　定性目標

先ほど挙げた「届ける相手」に、コミュニケーションによって「どんな意識変化を起こし」、それによって「何を達成したいのか」というゴールを描きましょう。

定性目標はつまり、数値化できない目標設定。**大事なのは、あれもこれも目指すのではなく、目標を絞り込むこと。**目標がたくさんあると、その分、コミュニケーションの種類が増えてしまいます。「正しく伝わる」ためには、1つの確固とした核をつくることが大切です。

今回は、「学生経営×地方創生への理解・共感を生み」、「第1期生の採用につなげる」を定性目標にしました。

観点③　定量目標

定量目標は、すなわち数値化できる目標です。例えば、売り上げ、客数、メディア露出数、SNSエンゲージメント、リピート購入率など。コミュニケーションの成否をジャッジするためにも、具体的に数字で表せるものがベストです。また、先ほどの定性目標とリンクするゴールを設定してください。

今回は、1期生の応募人数を200人(採用18人)、メディア露出30件を定量目標にします。

とはいえ、いきなりゴールすべてを決めきるのは難しいと思います。2つ目以降のフローと行ったり来たりしながら、目指すべきゴールを定めてください。

❷現状と課題の洗い出し

先ほどのゴール達成のために、今のステータスはどれくらいか? 何がネックになりそうか? 現状と課題を把握する作業です。ここはできるだけたくさん挙げていくほうがいいです。

ちなみに私がアナザー・ジャパン・プロジェクトに本格的に加わったのは2021年11月、ローンチの直前でした。話を聞いてすぐに「面白そう! 力になりたい!」と参加を喜びました。でも、いざプロジェクトの企画書を読んで一番不安に感じたのが、肝心の「学生経営×地方創生」がいったいどういう姿なのかイメージがまったく湧かないことでした。今でこそ、セトラー18人が実在し、どんな活動や成果があるかが目に見えていますが、当時はその価値を伝えられるリアルな情報はありません。中川政七商店で働く私がピンと来なければ、世の中の人々はもっとその価値が分からないはずです。

そんな状況下で、思いつく課題はなんだと思いますか？

チュウシコク　学生経営が、実際にどこまで実現できるのか、また学生が経営を学ぶことにどんな価値があるのか、世の中の人は想像しにくいと思います。

カントウ　「学生×地方」のイメージも湧きにくいです。地方に関心を持ち、還元したい学生が果たして本当にいるのか？　世間にはあまりモデルケースがなさそうです。

そうですね。アナザー・ジャパンの価値の核である「学生経営×地方創生」を伝える説得力がない。このイメージを分かりやすく伝えなければいけない、というのが一番解決すべき課題でした。

中川　佐藤さんがプロジェクトに加わったとき、「学生経営×地方創生って何ですか？」「それは何が面白いんですか？」「世の中にいいことはあるんですか？」と質問攻めにされたことを思い出します（笑）。

佐藤　事業を企画したり運営したりする当事者にとってみれば、プロジェクトが目指すゴールは見えていて、そこに突き進んでいます。でも、それ以外の人はまだスタート地点にも立っていません。**世の中の認知とのギャップをつかむこと**が、コミュニケーションでは大切です。課題を見つけるお薦めの方法は、自分の親やパートナー、テレビや雑誌をチェックして世間の興味や関心を知ること。そして友達に説明したらどう思われるのか？　伝わるのか？　共感し興味を持ってくれるのか？　そんなふうに想像してみることです。

❸リサーチ

次は「リサーチ」です。先ほどの「ゴール設定」と「リサーチ」は、行き来しながら進めるといいです。

リサーチでは、同じ業界での他社事例や、自社の過去の事例、近いテーマを掲げているほかの事例など、あらゆる角度で調べていきます。目的は、他者と自分を重ね、強みを探ること。

プロジェクトの当事者になると、俯瞰的に物事を考えることがどんどん難しくなってきます。先人たちの事例に自分のプロジェクトを重ねてみると、今まで見落としていた「強み」や「独自性」の解像度が上がってくるはずです。

アナザー・ジャパンの比較対象になりそうな事業って何が思い浮かびますか？

チュウシコク　僕が最近注目している新しい教育の形という例で、徳島の「神山まるごと高専」です。実際に活躍する起業家が学校の創業者や特別講師として前に立ってPRしているので、どういう人材の輩出を目指す学校なのかイメージが湧きやすいです。

カントウ　社会的価値という例で、先日テレビで見た「分身ロボットカフェDAWN」です。寝たきりの重度障害がある方にも雇用が生まれ、やりがいを感じて喜んでいる姿が印象的でした。このサービスによって「社会にどんないいことが生まれているか」が実感できた瞬間でした。

いいですね。この2つに共通するのは、起業家や障害のある方といった「当事者の生の声」があることですね。それが理解や共感につながって応援したくなる。まだ誰もやったことのない、社会性のある事業において、こうした生の声には説得力があります。ではアナザー・ジャパンが出せる生の声ってなんでしょうか？

ホクトウ　まだセトラーもいないし、開業もしてないし、正直難しい気がします。

キンキ　既に地元で起業して経営をしている学生の友人がいます。そういう子の声を届けるとか？

いい着眼点ですね。「学生経営×地方創生」の価値を最大限に代弁してくれるのは、主役である学生なんです。彼ら彼女らに、学生のうちから経営を学び実践することの意味や、地元と関わることの魅力を語ってもらえたら、アナザー・ジャパンのやろうとしていること、目指す未来のイメージが、だいぶ解像度を上げられるはずです。そういうことを、リサーチを通して深めていきました。

さて、ここまでで現状と課題を把握し、リサーチにより強みを見いだしてきました。改めて、最初に設定したゴールを含めて整理してみましょう（次ページの図）。

定性目標は「学生経営×地方創生への理解・共感を生み、1期生の採用につなげる」で、課題は「学生経営×地方創生の価値を伝える説得力がないこと」、強みは「当事者である学生がいる」でしたよね。たくさん洗い出した情報を基に、**どう戦うべきか、どう伝えていくべきか、コミュニケーションの核を絞り込んでください。**

私がここから導き出したコミュニケーションの核は、「学生の生の声を届ける」です。プロジェクトの主役である学生に、アナザー・ジャパンの価値を語ってもらうこと。それにより我々が目指す未来像に理解・共感してもらう、と定めました。

❹届ける手口を決める

ここから先は戦術を決めて実行していくフェーズですが、すべての手口が、設定したゴールに向かって行われることが重要です。

では最初に整理したビークルの中から、必要な手口をリストアップしましょう。

「アナザー・ジャパンのプロジェクト発表」における
コミュニケーション設計

1. ゴール設定

- 届ける相手：①地元や経営に関心のある学生、
②企業の経営層や地域事業者
- 定性目標：（どんな意識変化？）学生経営×地方創生への
理解・共感を生み、
（何を達成？）1期生の採用につなげる。
- 定量目標：1期生エントリー数 200人
メディア露出数 30件

2. 現状と課題

- 「学生×経営×地方」の効果を示す説得力がない
➡学生経営×地方創生の魅力を具体的に伝える必要がある

3. リサーチ

- 神山まるごと高専：実際の起業家が講師としてPR
- 分身ロボットカフェDAWN：当事者に雇用が生まれ、やりがいを感じる姿

社会的注目度の高いプロジェクトを調べると、
「当事者の生の声」が価値を代弁してくれることが分かった。
➡アナザー・ジャパンの強みは、主役となる学生がいること！

コミュニケーションの核

- 「学生の生の声を届ける」…AJPの主役である学生に、
経営を学び実践することの意味や、
地元と関わることの魅力を語ってもらう。

それによりアナザー・ジャパン・プロジェクトの目指す未来への
理解・共感を生む。

キュウシュウ　メディア取材によって多くの人に届けたいので、記者会見が効果的だと思います。

ホクトウ　学生にリーチさせるために、若い世代の利用率が高いInstagramのアカウントが欲しいです。

ゴールが明確だと、選ぶべき手口もこのように明確になってきますよね。ここで重要なのは、「**手口ニュートラル**」（※左ページの注釈）で考えること。既存の手法にとらわれる必要はありません、ゴール達成のためなら、やり方は何だっていいのです。例えばファッションショーを開いたり、大学教授にラブレターを書いたり、知り合いの学生に片っ端から声を掛けたり……。発想は自由であるべきです。

今回、記者会見を開くことにしましたが、「学生

アナザー・ジャパン・プロジェクトのキービジュアル

の生の声を届ける」という方針を基に、アナザー・ジャパンには直接関係のない2人の学生をゲストとして招待しました。奈良県で既に起業している学生と、ベンチャー企業でインターンをしている九州出身の学生をお呼びし、「学生経営×地方創生」について話すトークセッションを会見内で行いました。本来ならメインであるはずの三菱地所の方および中川が話す時間は全体の3分の1にとどめ、主役である学生の言葉でプロジェクトに対する感想や意見を語ってもらうコンテンツに振り切りました。記者会見の手口としては極めて異例だったと思います。三菱地所さんには失礼なことをしたかなと不安に思ったのですが、快諾いただけました。

また学生とつながるための手口として、学生新聞や学生メディアの運営者も記者会見にお呼びしたり、都内の学生寮にアプローチしました。いずれも、ゴールを実現するためにたどり着いた、手口ニュートラルな発想です。

❺制作・実行

コミュニケーション設計に沿って実行するために、実際にコンテンツを制作していきます。記者会見の準備やSNSアカウントの開設、HPの立ち上げ、リーフレットの作成、キービジュアルの撮影、コピーライティング、プレゼンスライ

「手口ニュートラル」とは、博報堂ケトルによる独自の思考法。既存の手法にとらわれず、ベストな課題解決の手口をニュートラルに考えて実行すること。書籍『手口ニュートラル　混沌を生き抜く思考法』（上野真理子著、太田出版、2022年）に詳しい。

ド……。いくらプランがよくても、これらのコンテンツの精度が低いとすべて台無しです。

精度は、「**情報の整合性**」**が取れているか否か**に左右されます。例えば自ら道を切り拓ける学生を採用したいのに、温和な雰囲気のキービジュアルが並んでいたらどうでしょうか。**制作するすべてのコンテンツは、必ず同じゴールに向かうようコントロール**してください。制作担当ごとに個別バラバラで「これがかっこいいから」などと考えるのではなく、最初に決めた方向とずれてないか、ゴールが実現できるかを常に念頭に置きながら進めてください。

例えば、アナザー・ジャパン・プロジェクトのＨＰのキービジュアルは、学生が草原に立っている写真をオフィスキャンプさんに撮っていただきました。これはまさに「フロンティアスピリット」を持っている学生に反応してほしいがゆえのビジュアルです。

コミュニケーション設計の「型」を応用する

参考までに、アナザー・ジャパン・プロジェクトの発表の結果を紹介しておきます。

（左ページの図）

今回の例は記者会見とスケールが大きく、日々の業務からは遠く感じるかもしれません。しかし、コミュニケーション設計の一連のフローは、何を考える場合でも適用できるものです。ポップアップイベントや展示会に出店するとき、新商品を発売するとき、SNSを立ち上げるときなど、日常のコミュニケーションから大きな企画まで、ぜひ生かしてみてください。

例えば、SNSアカウントを立ち上げるときはこんなふうになるでしょう（次ページの図）。

実際にはもっと細かく思考・検証していますが、この流れで2019年、中川政七商店のInstagramをリブランディングした結果、2年間でフォロワー数300％（7万人→21万人）、いいね数250％と大きく改善しました。中川政七商店社内でのコミュニケーションは、大小問わずこ

アナザー・ジャパン・プロジェクト発表の結果

- **記者会見で学生の生の声を届ける**

➡ 既に経営や地元に関わっている学生だからこそ、説得力ある声をメディアに届けられた。会見も大いに盛り上がった。

▶定量結果

- **1カ月間で41メディアに露出（目標の137％達成）**
- **1期生応募180人（目標の90％）**

▶定性結果

- **記者会見に登壇していただいた山口さんがまさかのセトラー応募、1期生に見事採用**
- **テレビ東京「ガイアの夜明け」特集が決定、アナザー・ジャパンの認知・売り上げに大きく寄与**

SNSのコミュニケーション設計例

⓿ ビークルの整理

- 世の中にどんなSNSアカウントがあるか洗い出す

❶ ゴール設定（届ける相手、定性、定量）

- 届ける相手を具体的に定める
- 定性目標：（どんな意識変化を起こしたいか？）
  （何を達成したいか？）
- 定量目標：フォロワー数やエンゲージメントなど

❷ 現状と課題の洗い出し

- 既に立ち上げ済みのアカウントがある場合：何が足りていないのか課題を洗い出す
- 既存アカウントがない場合：SNS以外の既存コミュニケーションツールの課題を洗い出す

❸ リサーチ

- 同じ業界や参考にしたいブランドのSNSアカウントを徹底的に調べる
- 取り入れられそうなアイデアや自分たちの強みを見いだす

❹ 届ける手口を決める

- どのSNSを使うか決める
- SNSアカウントのコンセプトや投稿方針を固める

❺ 制作・実行

- 実際の投稿内容を作成する
- PDCIを回す

のフローを大事にして設計しているので、ぜひ参考にしてみてください。

コミュニケーションで最も重要なのは「愛と積み重ね」

最後に、スタンスについてお話しします。コミュニケーションを考え、実行するために最も重要なのは、**テクニックではなく、愛と積み重ねです。**

ここまでは「型」をお伝えしてきましたが、実はこれだけでは6割の完成度。残り4割は担当者の腕に大きく依存します。自社案件でもクライアントワークにおいても、「頼まれ仕事」ではなく「自分事」として考えられる人に仕事は舞い込みます。高い当事者意識を持ち、経営者やプロジェクトリーダーと同じくらいの熱量で向き合える人の力は、アイデアにも行動にも表われます。不思議なことに、愛情を持って向き合う人がつくったSNSもプレスリリースも企画書も、接客も何もかも、そうでない人とは印象がまったく異なります。愛を持って取り組むスタンスこそ、仕事の成果を最大化させられると思っています。知識やスキルが求められるウェブ、SNSなど、つい専門家に頼りたくなる気持ちも分かるのですが、**まずは自分が伝えたいという想いを信じてみてほしい**です。

同時に積み重ねも大切です。もう瞬間的な「バズり」を求める時代は終わりました。この情報過多の時代、メディアに1回露出したり、SNSで「いいね」が付いたりするのは、あくまで一過性の出来事です。でも、一瞬のテレビ露出でも、新聞の小さな記事でも、SNSの日々の投稿でも、一つひとつの接点で「あ、いいブランドだな」「応援したいな」と認識し共感する人は生まれています。**ブランドに対する認知や理解は、そうした接点がたくさん積み重なることで深まっていくもの。**即効性ある特効薬なんてないんです。超地道で成果がすぐには見えない仕事だけど、世の中を変えられると思うと、ものすごく面白い仕事だと思いませんか?

大切なのは、**愛情を持って取り組む姿勢と、それを積み重ねる忍耐力。**そして携えてほしいのが、この章で紹介したコミュニケーション設計力。これがあれば、どこでも通用するコミュニケーションができると思っています。一緒に頑張りましょう。

11章

ファンクション③ オペレーション

〈この章のポイント〉

1. オペレーションとは業務の「仕組み」と「手順」。正確に速く、再現性高く実行できるのがよいオペレーション。

2. PDCIを回すことが重要で、そのためにはPlanの段階での想定と設計が不可欠。

3. MECEな思考でパターンを網羅する。設計の段階で「想定外」をどれだけ排除できるか。

4. オペレーションの精度を上げて得られるメリットと手間暇を、利益衡量する。

オペレーション総論

オペレーションとは何か?

オペレーションというのは、業務の「**仕組み**」と「**手順**」のことです。「マクドナルド」で言えば、ハンバーガーを作って出すのがオペレーションです。速く、正確にやれるほどいい。小売業で、レジがもたもたしているとお客さんの満足度は下がるし、そういう意味では、マクドナルドやコンビニは素晴らしい。どちらも、優れたオペレーションがないと成立しません。

経営には、「戦略」「戦術」「戦闘」のレイヤーがあって、経営の力は、その掛け算で決まります。2つ目の戦術部分の肝がオペレーションで、実はここが経営の力を左右することが多いです。

オペレーションには基本的に正解があって、オペレーション設計は7割ロジカル、3割クリエイティブです。**なるべく小さな負荷で正確に速く、再現性高く実行できるのがよいオペレーション**です。この正解を、ロジカルに設計していくのがオペレーションチームの基本的な仕事になります。

業務の仕組みと手順は、普通、それがどのように設計されたのかまったく気にならないものなんです。なぜなら、毎年つくり替えるものではないので、すでに出来上がっていることが多いからです。アナザー・ジャパンで言えば、1期生がつくり上げたものが5年間続くことになります。だから、今回雑につくってしまうと、これから5年間、後任の足を引っ張ることになります。

オペレーションのつくり方

オペレーションをつくる勘所は4つあります。①PDCI（Plan：計画、Do：実行、Check：チェック、Improve：改善）が分かるように。②「パターンを網羅する（MECE）」。③「得るものと手間暇」の利益衡量。そして、④スケジュールとトリガー。

まずはPDCI（※注釈）から。PDCIを回す

オペレーションをつくる勘所

① PDCIが回るように

② パターンを網羅する（MECE）

③ 得るものと手間暇（利益衡量）

④ スケジュールとトリガー

世間では「PDCA」（最後がAction）が一般的。中川政七商店では、Actionの「改善」という意味をより意識するために「Improve」という単語に置き換えて運用している。

ために一番大切なことはどれだと思いますか？

チュウシコク　チェックだと思います。

違います。チェックも大切だけど、それ以上にプランが大切なんです。プランの時点で改善できるようにしておかないと、チェックしようがありません。特に大事なのが、**数字でチェックできるように設計をしておくこと**です。これは、この後のレジ設計のところで具体的に考えます。

さらに、パターンの網羅が重要です。パターンにはいろんな例外・分岐がありますます。それを網羅的に把握しておかないと、想定外なことが起きたらそこでオペレーションが止まってしまいます。**設計の段階でどれだけ「想定外」を排除できるかが重要**です。そのためにＭＥＣＥという考え方が必須になります。

そして、どれだけ丁寧に設計して、95％は想定内の流れになっても、必ず一部例外が生じます。それをどう扱うかが大切です。残り数％の精度を上げて得られるメリットとかかる手間暇を比較して、どこまで設計するかを決めなくてはいけません。それが利益衡量です。

最後に、スケジュールとトリガーも重要です。そのオペレーションをどのタイミングで実施するのか、その合図（トリガー）も含めて設計しておくと、よりスムーズなオペレーション運営が可能です。

以上、抽象的でイメージが湧かないと思うので、店舗オペレーションで一番重要なレジの設計を事例に考えていきましょう。

レジ設計

レジ処理と商品コード体系

店舗のオペレーションで最重要なのが、レジ処理と商品コード体系です。レジ処理と商品コード体系は、お客さんが「これ、ください」と商品を持ってきて、レジ処理が行われて、お金のやり取りをする。この一連の流れをつくることです。まずは、この2つの理想形を考える。どうしたら、最もきれいに店が回るのか。そういうことを考えてください。

理想はコンビニです。スムーズなレジ処理と、完璧な売り上げ情報を得られるのが理想で、その状況をつくるには、事前の商品登録と、すべての商品にＪＡＮ

コードが付いている必要があります。ＪＡＮコードっていうのは、商品のパッケージとかにあるバーコードです。

しかし、大手メーカーの商品だとあらかじめＪＡＮコードが付いていますが、みんながこれから仕入れてくる地域産品は、ＪＡＮコードがない商品が多いと思います。だとすると、どうしましょうか。レジでひたすら手打ちしますか？

キンキ　ＪＡＮコードを自分たちで発行して貼れないのですか？

できます。でもそれって何ＳＫＵ分のＪＡＮコードを発行し、何個の現物に貼る必要があるんですかね？　しかもそれを2カ月ごとにです。

キンキ　かなりきつそうです。

そうですよね。ここで、先ほどお伝えした利益衡量の話が出てきます。完全にＪＡＮコードを運用すればレジ打ちのときは楽だけど、企画展の入れ替えごとに大変な作業になる。でも全部ひたすら手打ちするとレジ処理がパンクします。完璧を目指しつつ、それを実現するのにどれくらい労力がかかるのか、本当に可能なのかを丁寧に見ていくわけですよ。手間暇と、得られるものの取捨選択の話です。

その際に重要なのが、絶対に譲れないところと妥協できるところ、**Must（マスト）とWant（ウォント）の切り分け**が必要です。ここで言うマストって何ですか。

チュウシコク　「完璧な売り上げ情報」です。

そうですね。売り上げ情報は、完全に残さないとお店として成り立ちません。レジの仕様や手間暇を加味しつつ、シミュレーションみたいなこともやって、何が必要か判断していきましょう。今はまだ情報が足りないけど、状況がもっと見えてくると何がベターか分かります。そこを探って情報収集しながら、マストとウォントを切り分けて、利益の最大化を考えるのがオペレーションチームがやるべきことです（※注釈）。

レジでのデータ取得

近年はＰＯＳ（Point of Sales）レジが進化していて、売り上げだけではないさ

開業後も試行錯誤中ではあるが、現段階での運用は下記の通り折衷案で対応。①取引先にJANコードを用意していただける場合はそれを利用。②ない場合は店舗で発行。③すべての商品にシールは貼らず、レジ手元のブックで管理。④器など、レジの打ち間違いのリスクが高い商品だけは事前にシールを貼る。

まざまな情報をレジで取得・分析することができます。店舗のＰＤＣＩを回すうえで、レジで取得するデータの設計が欠かせません(※注釈)。

そのためには、開業後にどのような切り口で分析することになるかを想像しておくことが重要です。例えば何がありそうですか。

キュウシュウ　食品比率は重要な指標なので、見るべきだと思います。

いいですね。となると、レジに商品登録する際に、その商品が「食」「非食」のどちらなのかを区別できるようにカテゴリーを分けておくことが必要です。カテゴリーを分けておけば、あとで簡単に比率を確認することができます。ほかには何がありますか？

カントウ　カトラリーとか、衣服とか、商品の種類別に見たくなりそうです。

見たくなりそうですね。でも、ここらへんからまた利益衡量が重要になります。カテゴリーは細かく分けようと思えば分けられますが、細か過ぎると登録が大変

アナザー・ジャパンでは、株式会社スマレジに協賛を頂き、POSレジ「スマレジ」を利用。

だったり、結局分析には使えないデータになったりします。見えるに越したことはないけど、見るためにどれくらい労力を使うかを考えなくてはいけません。

チュウブ　リピーター比率を見たくなるかなと思ったのですが、レジで確認できるんでしょうか。

いいですね。一番正確なのは、会員制度をつくって個人ＩＤを発行すれば、会員が何人いて、その方々がどれくらいの回数・頻度で来てくださってるのか詳細にデータ集計できます。ですが、システム投資が大変そうです。１年目でそこまでは難しそうですね。

簡易なのは、決済中にお客さんに直接聞く方法ですね。そのアンケート結果はレジの決済画面で集計することができます。アンケート画面は事前に設定が必要なので、「リピーターを集計する」と決めておかないと集計ができないですね。いい想定だと思います。

このように、**ＰＤＣＩを回すためにどれくらい事前に取得データを設計しておけるか**。分析まで見越してデータのカテゴリー化までしておけるとベストです。そのためにはＭＥＣＥにパターンを網羅しておくことが大事です。

一方で、カテゴリーは無限に分けられてしまうし、データが増え過ぎても分析がしづらくなります。マストを見極めて利益衡量して優先順位を付けなくてはいけません。

売り上げデータを上手に利用できれば、ある商品群の売れ行きがいい、悪いが分かるので、再発注や、次の企画展のチームに参考になります。お店全体でＰＤＣＩを回していきましょう。

オペレーションが差をつくる

マニュアルにまとめる

オペレーションは「仕組み」と「手順」だと伝えました。これを、オペレーションに関わる全員が理解し、実行できなくてはいけません。それにはやはりマニュアル作成が有用です。

中川政七商店では「掟書《おきてがき》」という形で店舗オペレーションのほぼすべてが規格化されています。マニュアルはスタッフの主体性や創造性を奪うようにいわれがちですが、むしろ逆です。決まっているオペレーションを円滑にすることで、接客など本当に力を入れるべき仕事に時間とエネルギーを割くことができます。

1期生は手探りで仕事を進めることが多いとは思いますが、各仕事におけるオペレーションの最適解を見つけ出し、それをマニュアルにまとめることで2期生以降に引き継いでいきましょう。

オペレーションにもプラスアルファ

オペレーション設計はほとんどがロジカルな作業だと言いました。ですが、オペレーションにも、プラスアルファの要素、クリエイティビティーが求められる側面があります。

例えば、レジ対応も顧客体験なので、速く正確に頑張るのはもちろんなのですが、何か工夫ができるといいですよね。どんなことができますか?

ホクトウ　レジの機能で、顧客属性でレシートに印字される文字を変更できると聞きました。お客さんの出身地をレジ対応で聞いて、企画展の地元の方なら「おかえり」、非地元の方なら「いらっしゃい」と印字を変えて、会話のきっかけにできたら面白いなと思いました。

そういう工夫は素晴らしいですね。顧客属性も把握できるし、顧客属性を入れることでレジでの10秒間という待ち時間が意味あるものになるかもしれない。こういうのがプラスアルファです。レシートに「おかえり」と書いてあるだけでも、「なんで?」って思ってもらえて会話のきっかけになるかもしれません。どんな仕事も、ロジカルな部分とクリエイティブな部分が混ざっています。

焼きの甘いレンガは崩れる

オペレーションはレンガを積み上げていく作業に似ています。**レンガの焼きが甘いと、3段くらい重ねただけでつぶれてしまいます。**だから、考え抜いてカチカチにして積み上げていく。ゆっくりだとしても頑丈に積み上がっていれば、それが大きな力になります。

中川政七商店がここまでやってこられたのは、間違いなくレンガをしっかり積み上げてきたからというのが大きいです。何かが売れまくって、ヒットを連発してきたわけではなくて、地味な仕組みを丁寧に積み上げることができたのが大きかったです。商品はいくらでもコピーはできるけど、そういう部分はコピーされにくいものです。オペレーションのちょっとした工夫で、売り上げは全然変わります。適当にやっていいところはないので、考え抜いて、〝いい焼き〟にしてもらいたいと思います。

12章

問題解決

〈この章のポイント〉

1. ブランドがローンチした後は、プランモードから問題解決モードへシフトする。

2. 問題とは「理想と現状のギャップ」。自ら目標を設定し、現状を理想に近づけていく。

3. 問題解決の70%は問題認識で決まる。分解して数字で捉えるのが肝。

4. PDCIをひたすら回す。自己を肯定しながら現状を否定していく。

アナザー・ジャパン最初の企画展「アナザー・キュウシュウ」が2022年8月2日、いよいよ幕を開けた。毎月の目標売り上げは500万円だが、スタートダッシュはやや低調。目標売り上げを達成できない中、オープンから2週間のデータを集計後、立て直しのための報告会議が行われた。

キュウシュウ展の現状

キュウシュウ　2週間の売り上げは下の図の通りになりました。

2週間を1週間ずつ分けると次ページのようになります。

非食品の売り上げは、91万4487円で、売り上げ全体に占める非食品の割合は、43・3％となっています。当初の予算設定時と比較して、非食品の占める割合が低い状態で推移しています。

売上実績（Week1～2）

開業後2週間での純売上は211万円、購入客数は784人、購入単価は2,691円となりました。
必達の予算目標に対しては、87.8％の達成率という結果となりました。

週分析	8／1（月）～8／14（日）		
①純売上	¥2,110,305	②消費税	¥193,457
③−1 予算（理想）	¥3,390,000	③−2予算（必達）	¥2,500,000
④−1 予算達成率（理想）	62.3％	④−2予算達成率（必達）	84.4％
⑤粗利益	¥911,470	⑥原価	¥1,198,835
⑦粗利率	43.2％	⑧販売点数	2,177点
⑨購入客数	784人	⑩購入単価	¥2,691

売上実績（Week1）

純売上は147.5万円、購入客数は500人、
購入単価は2,950円という結果になりました。
開店初週・内覧会の影響を受けて好調な滑り出しとなりました。

週分析	8／1（月）〜8／7（日）		
①純売上	¥1,475,183	②消費税	¥135,874
③-1予算（理想）	¥1,920,000	③-2予算（必達）	¥1,184,500
④-1予算達成率（理想）	76.8%	④-2予算達成率（必達）	124.5%
⑤粗利益	¥640,002	⑥原価	¥835,181
⑦粗利率	43.4%	⑧販売点数	1,441点
⑨購入客数	500人	⑩購入単価	¥2,950

売上実績（Week2）

純売上は63.5万円、購入客数は284人、
購入単価は2,236円という結果になりました。
台風やお盆シーズンに伴う来客数減や追加発注の遅れによる欠品の影響がありました。

週分析	8／8（月）〜8／14（日）		
①純売上	¥635,122	②消費税	¥57,583
③-1予算（理想）	¥1,470,000	③-2予算（必達）	¥1,219,000
④-1予算達成率（理想）	43.2%	④-2予算達成率（必達）	52.1%
⑤粗利益	¥271,468	⑥原価	¥363,654
⑦粗利率	42.7%	⑧販売点数	736点
⑨購入客数	284人	⑩購入単価	¥2,236

売上実績（Week1～2）

非食品の売上は、914,487円で、
売上全体に占める非食品の割合は、43.3%となっています。
当初の予算設定時と比較して、
非食品の占める割合が低い状態で推移しています。

部門別売上集計

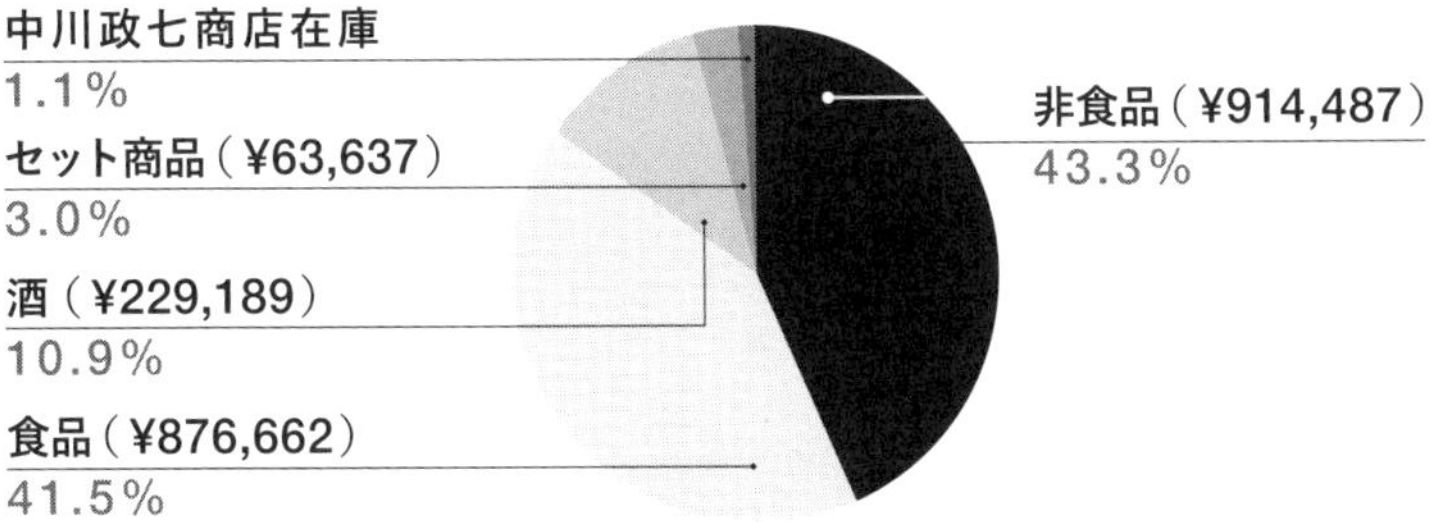

売上目標と実績（山口、比嘉、安見）

1日売上目標18万円（税抜）をセトラー全員で意識し、
損益分岐516万円超えを目指します。

8月	購入客数	1hの購入客数	購入単価	1日売上	1週間売上	小計	売上目標
1日～7日（実績）	500人	7.9人	2,950円	210,740円	1,475,183円	2,110,305円	5,170,305円
8日～14日（実績）	284人	4.5人	2,236円	90,731円	635,122円		
15日～21日（目標）	60人	6.7人	3,000円	180,000円	1,260,000円	3,060,000円	
22日～28日（目標）					1,260,000円		
29日～31日（目標）					540,000円		

- 8月は、残り17日で294万円の売上で損益分岐点達成。
- 毎日17万3000円の利益が目安ライン。

Week3以降に向けた販促プラン
（比嘉、安見、山口、藤田、北、山本、前田）

シマと棚の変化

1. 贈り物の棚：絵描き花火ワークショップを
   8月21日まで延長＋手書きPOP

2. お祭りの棚：各県のおすすめ＋手書きPOP
   a. 2週間ごとに変化
   b. 商品は1週間ごとにセレクト

3. 宴席前の丸太：日替わり強化商品
   ➡その日出勤のセトラーが選出

4. 店舗中央の丸太：週替わり強化商品
   a. 1週間ごとに変化
      ・今週：はえせんさん
      ・来週：箸置き、ボトルリボン

装い・彩りの棚

a. 上と下の棚の商品の入れ替え
b. 見た目がより華やかになるような工夫
   ・例）彩り・装いコーナー：
   マグネットフックで
   たくぼさんの商品を掛ける

その他工夫

1. 手書きPOP
   a. （各県のおすすめ用）
   各県の地図＋文字
   b. （絵描花火用）残り〇〇本の吹き出し

1日売り上げ目標18万円（税抜）をセトラー全員で意識し、損益分岐516万円超えを目指します。販促の打ち手としては、シマと棚の変化と強化商品の選出で店舗の見え方に変化を加えます。簡単にはなりますが、以上で2週間の振り返りを終わります。

問題解決モードになろう

キュウシュウチームのみんな、ありがとう。さて、セトラーのみなさん、アナザー・ジャパンを楽しめていますか？　目標に届いていないからか、手放しには楽しめてなさそうですね。キュウシュウ展のオープンから14日間のデータをまとめた今日の発表を聞いていて、みんなに、大きくモードチェンジをしてもらう必要があると思いました。

キュウシュウ展のオープンまで、4カ月かけて

問題とは何か？

問題とは「理想」と「現状」のギャップ

問題がない＝理想がない

仕事としてはやばい状態

理想　ありたい／あるべき姿、期待されるクオリティーや納期

↕　理想と現状のギャップ＝問題

現状　実際の成果、予想される状態

ビジネスモデルや戦略を考えて、ひたすらプランニングしてきました。そしていざ始まったら結果が出ます。結果が出ると、目標と結果にギャップが生まれて、必ず問題が発生します。

だから今後は、**プランをつくるモードから問題解決モードにシフトしてもらいたい**。これから週次や月次でやっていくことは、ひたすら問題解決です。問題というのは、大きなトラブルのことだけではありません。現状の問題は、目標を達成できていないことです。予算通りの数字を実績として実現していくことがすべてです。

今までたくさんのブランドがローンチするのを見てきたし、支援もしてきました。みな、ブランドが立ち上がるときはよくできてるんです。差が出るのは、立ち上がった後です。**ブランドマネジメントといいますが、基本的には問題解決をどれだけ繰り返せるかの差です**。モードを切り替えられずに失速していくブランドを、たくさん見てきました。

今日の発表を聞いて一番感じたのは、「問題設定ができていない」ということです。今、全体を見たときに、一番の問題点は何ですか。

キュウシュウ　売り上げが予算に届いていないことです。

そうですね。予算達成率84・4％。これが今、最大の問題です。2つ目の問題があるとすると、粗利がやや悪いってことですね。この2つ以外は細かい話で、今はとにかく、全体の売り上げをいかに上げるか。そのために何をどうするか。各担当者がそれぞれ何をすれば予算に行き着けるかをしっかり考えてもらいたいです。

こういう振り返りや改善は、実践があるアナザー・ジャパンだからこそ体験できること。今日はオープン後の第1回月次定例会議なので僕が仕切りますが、2回目以降はみんなに仕切ってもらいたいです。

数字を分解して問題を捉える

問題解決のための前準備として、**数字を分解して問題を捉える**ことが重要です。

売り上げは、何と何に分解できるんだっけ？

キュウシュウ　購入単価と購入客数です。

キュウシュウ展は今のところ、どっちが悪いですか？

キュウシュウ　購入客数です。

　購入単価は2500円を超えているので、目標をクリアできていますよね。しかし、1日平均の購入客数は56人で、目標に足りていません。一番の問題は購入客数が足りていないということになります。ということは、客数を増やすってことが、問題解決につながるということだよね。では、購入客数は何と何に分解できる？

カントウ　セルフ客数とクラーク客数です。

　だよね。入店客数は正確に計測できていないけど、セルフ客数とクラーク客数はレジで把握できているんだっけ？

現状を分析する

現状把握の基本は「分析」＝「分けて析（わ）ける」
カテゴリー別やロジックツリーで「ブレイクダウン」して、
問題が「どこに」あるかを詳細に見る

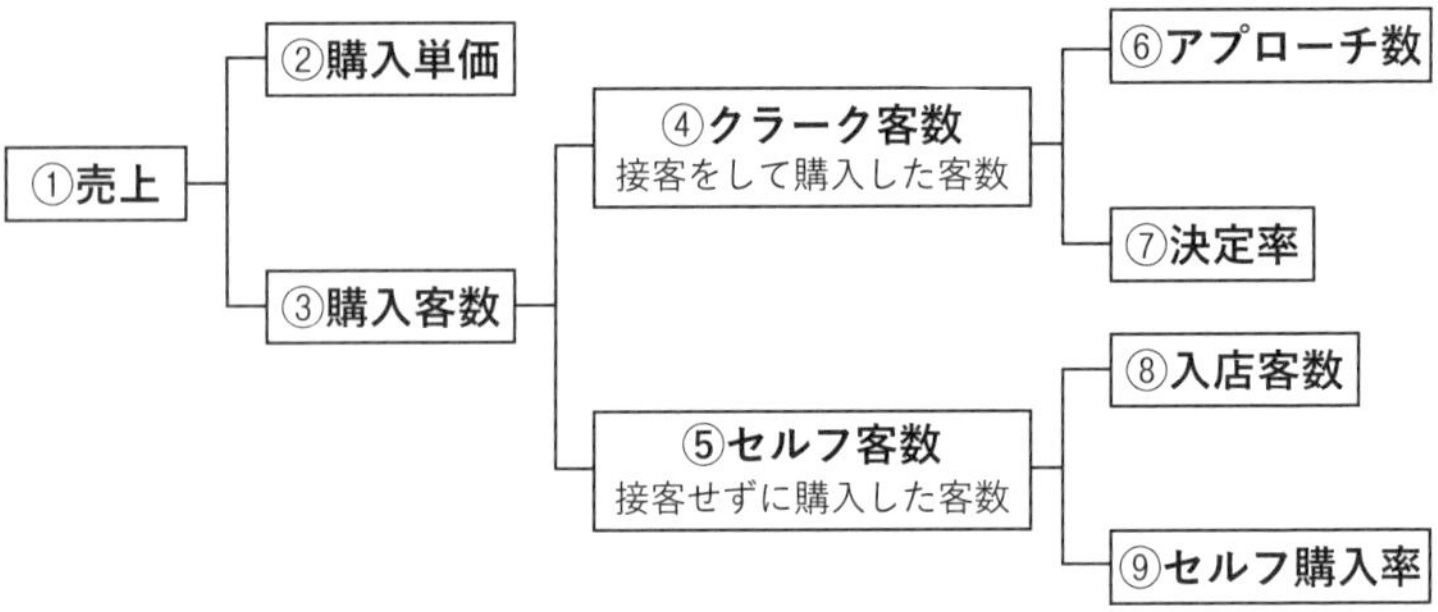

チュウシコク　レジではできていませんが、アプローチ数や、その中で買ってくれた客数は記録しています。

クラーク客数が何人で、セルフ客数が何人かが分かる数字だということだよね。その中で、どっちが悪いんだろう。累計のクラーク客数が３６４人で、これを営業日数の14で割ったらいくらになりますか。

チュウシコク　26人です。

1日の購入客数の半分ですね。セルフ客数とクラーク客数は、どっちを上げられそうですか。クラーク客数は、アプローチ数×決定率で、今のところ決定率は40％くらいですね。

オープン後２週間の実績

集計	２週間の実績	目標値	達成率
純売上	¥2,110,305	¥2,500,000	84.4%
購入客数	784人	1,000人	78.4%
購入単価	¥2,691	¥2,500	107.6%

10人に声がけして4人買ってくれているというのは、悪くない数字だと思います。伸ばせそうなのがアプローチ数だとして、アプローチ数の総数が914人で、これを14日で割ったら65人くらいになります。

入店客数はどれくらいですか。

チュウシコク　130人くらいです。

入店客数が130人でアプローチ数が1日65人だとすると、50％のアプローチ率になります。お客さんが10人入ってきて、スタッフが接客に行っているのが5人ということですね。このアプローチ率はもっと上げられそうだよね。

売り上げが一番の問題だと分かっていて、売り上げを上げたいとメンバー全員が思っているはずだけど、数字をぼーっと見ていても何も分からないし、変わりません。手が届くところと届かないところなど、いろんな要素がある中で、問題を分解していくと上げられそうな数字が見えてきます。

問題解決の肝は、問題を正しく認識すること。問題解決の70％は問題認識で決

まると覚えておいてください。反対に、問題認識が間違っていると、いくら対策を打っても結果が出てきません。

PDCIをひたすら実践していく

今日の月次報告の最初のテーマは、店内ディスプレーの改善の話でしたね。これは、どこに効きそうですか。

カントウ　セルフ客です。

そうです。何となくみんなが、「売り上げを伸ばさないと」と思って、いろんなことをやろうとしていますが、ロジカルに分解すると課題と打ち手がずれているか分かるよね。売り場を改善しても、現状だと、効果は大して出そうにありません。

1日当たり売上分析（8月）

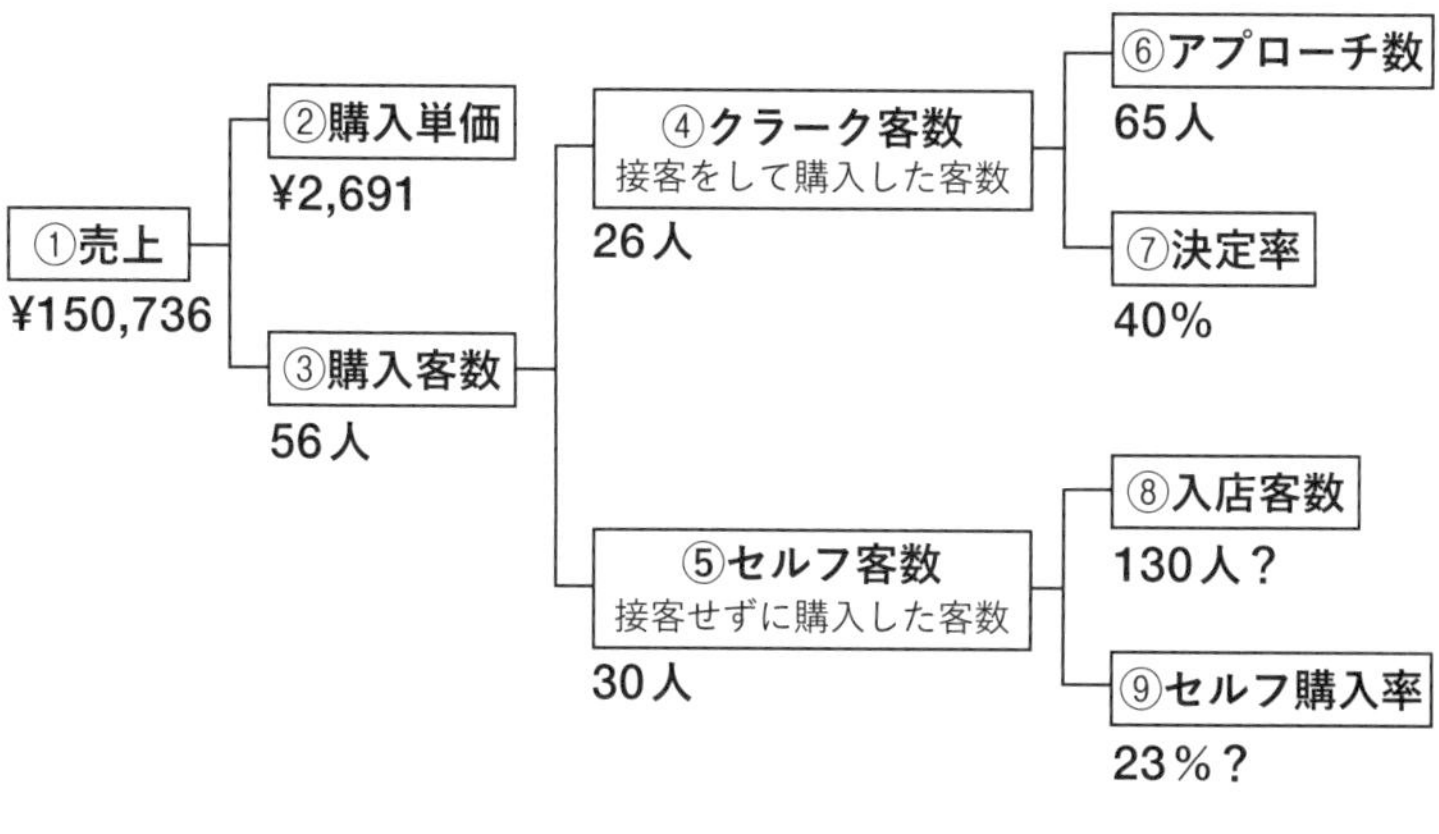

なぜなら、クラーク客数のほうに問題があるから。

ＰＤＣＩは、どこにフォーカスして、どの数字を上げるかというプランが固まって、そこに徹底的にトライして、数字でチェックできて、さらに解決が進むというものです。これをいかに精度高く、高速に回し切るか。それができれば、絶対によくなります。これを今から、毎週、毎月、１年かけてやっていくと思ってください。**常に売り上げの構造をロジカルに捉えながら対策を打っていくと、数字が上がっていきます**。

普通のショップだとスタッフは5人くらいだけど、アナザー・ジャパンには18人いて、いろんな手を打つことができます。反対に、18人いるので、どこにフォーカスして何をやるべきかという意思疎通がなければいけない。みんながバラバラにやっていたら効率的ではないよね。

そのほかにやってもらいたいのが、**日報のフォーマットを問題解決につながる形に変えること**です。今話に挙がった個々の数字が、もっとすっと出るようにしておいてください。ＰＤＣＩの素材がすっと出てくるようにして、フォーカスして、アクションを考えて、その中で効果が高そうなものに絞って目標数値を立てる。それを1週間回すことを、ひたすらやっていきましょう。

今、アプローチ数を上げるのが効果的だと分かってきました。現状のアプローチ率5割を上げていくために、まずは、入店客数を捉えるような仕組みをつくってみてください。オペレーションチームはまず、どうやったら精度高く入店客数を把握できるか考えてください。

チュウシコク　アプローチ率については以前の週次会議でも挙がっていて、現在、アプローチ率100％を目指すということが決まっています。

なるほど。100％にしようということで、その後、何日か営業日があったと思いますが、実際にできていますか。そもそも、**アプローチの定義はみんなで共有できていますか**。

カントウ　どっちもできていません……。

100％にできない理由を考えると、どのように声をかけるかなど、スキルの話になると思います。すると、接客上手な人が、「こういうタイミングでいくといいよ」と教えるとか、みんなのスキルを改善するために何をすればいいのかという話になるよね。

忘れないでもらいたいのが、決めた以上、着々と進めるということ。決めたとしてもやらなければＰＤＣＩが回っていきません。いつまでに達成するかを決めるのも大切です。

ここまでで、頭のモードが少し切り替わってきましたか。

入店客数を増やすためにできること

この先の問題として、入店客数を増やすという根本的な話もあります。入店要因としてはＳＮＳやウェブサイト、ビルの前の広場でやっているマルシェもあります。テレビに取り上げられた翌日は、お客さんが増えるということは分かっているけど、それ以外のところは正確には分かりません。

入店客数を上げるためには、何が効きそうですか。現状の１日の入店客１３０人が何をきっかけに足を運んでいるかが分かれば、もっとロジカルな議論を進められそうですが、ＳＮＳや店外の呼び込みとか、効いていそうなのはどれですか。

ホクトウ　接客の中で、「アナザー・ジャパンをどうやって知りましたか？」と聞くようにしています。一番多いのはテレビですが、私たちの手の届く範囲で言うと、店外でショップリーフレットを持って呼びかけたり、話しかけたりというのが多い印象です。

キュウシュウ　ＳＮＳを見て来店したという人は少ないと感じています。Instagramは毎日投稿していますが、もうちょっと伸ばせる部分があるのかなと思いました。

なるほど、例えば、入店のきっかけが、「店外の呼び込み」60％、「通りがかり」30％、「ＳＮＳ」10％だとしたら、一見、ＳＮＳに力を入れればいいと思うけど、本当にそうかな？　単に数字が悪いところに着目すればいいのかというと、それが効率的とは限りません。

打ち手は、うまくいくこと自体がまれなので、**成功したものは再現性を高めて使いまくったほうがいい**。その意識を持ってやってもらえればと思います。

店に来ない人を動かす要因は分からないものの、入店客数を上げられる可能性があるかを議論して、ここに絞ろうとフォーカスして、自分たちがやることを決めて、着々と取り組んで客数を伸ばしていく。**10回取り組んでも10敗するような世界なので、1回でも成功例が出れば同じことを徹底的にやってください。**

そもそも、「何がきっかけで来ましたか？」というのは、みんな必ず聞いていることですか。それとも、個人的に聞いている？

チュウブ　オープン日に実施した会議の中で決めたものの、集計はしていません。

それはもったいないよね。しかも、それは接客のきっかけにもなります。キュウシュウ展の期間中は、１００％聞くようにして、データを取れるようにして、それをベースに施策をするのがいいと思います。

あと、店外での呼びかけは効果がありそうということだけど、できそうですか。

チュウシコク　店舗にいると、帰宅途中のオフィスワーカーの方がショップをチラチラ見てくださることが多くて、何となく気になっているようです。そういう人たちに店外でリーフレットを渡して、どういう店舗か認知してもらうというアプローチがいいと思います。

であれば、これから2週間はそれをひたすらやってみて、その結果を把握するようにしてください。

自己肯定しながら現状否定していく

視点を大きく変えて、そもそもうまくできていないことってありますか。本来あるべき形に届いてないことって?

キュウシュウ　何がどのくらい売れたかというデータを注意して見ていなかったので、在庫が少なくなってから急いで追加発注することになっています。お盆も挟んだので、仕入先への連絡にも手間取ってしまいました。

在庫を切らすのはマイナスだよね。週1回在庫を確認すればいいのか、週2回なのかなど、どう対処していくかを仕組みとして回していけるようにしてもらいたいです。今は感覚だろうけど、在庫が5個あるものが2個になったら発注するなど、どのラインを下回ると発注するのかというトリガーも決めておくのもいいと思っています。

キュウシュウチームの3人には、追加発注の考え方、フローをつくるというタスクをお願いします。できたものを次のチームに渡すことができれば、次の企画展スタートと同時に、欠品なく在庫を回せるようになると思います。

ほかには何かありますか。

キュウシュウ　販促物をみんなが各自発注しているので、販促費が、売り上げの15分の1にまでなってしまっています。そこを整えないといけないと思います。

発注が個別バラバラになっているのは仕組みの問題ですね。さっきの話で、お客さんを店内に誘導するのにリーフレットを配るのが効くなら、いっそのこともっと多く作ってもいいと思うんだよね。店外呼び込みは序盤の間は有効だと思うので。でも販促費は使い過ぎ。現状の7%から、3%に抑えてもらいたいです。たくさん印刷して、単価を下げるといいと思います。

ここまでの話やみんながこれまでやってきたことを聞いた感想としては、当初の想定よりはよくできている。そこは自信を持ってください。全体の数字で言うと、壊滅的に悪いわけでもなく、すごくいいわけでもなく、その中間。それが、この2週間の数字を見た感想です。

基本的に仕事をやるときの意識として、**自己肯定しながら現状否定するのが大事**。まあまあやれてるよね、70点だねと思ったら、人は動かなくなる。だから、今30点だと思いながら、日々やらないといけないし、でも、自分はちゃんとやれているると思ったほうがいい。そこは自信を持ったほうがいい。そういうマインドで取り組むとうまくいくと思います。

1つの商品を1週間ひたすら推すとか、これを売りにいくぞと全員で決めて売ってみるとか、チャレンジをいっぱいしてもらいたいです。ＰＤＣＩを回す意識を持ってもらえたらと思います。

COLUMN―2

キュウシュウ、ホッカイドウトウホクのその後

12章では、アナザー・キュウシュウの前半の実績と、その後のPDCIの回し方について議論が行われた。では、最終的にどんな結果が出たのか。アナザー・キュウシュウ、それに続くアナザー・ホッカイドウトウホクの結果について紹介する。

アナザー・キュウシュウの結果報告

・9月に多くのメディアに取り上げていただき、来店者数が増加。9月単月では損益分岐点の500万円を初めて突破した。

・「宴」というコンセプトの特性もあり、購入に占める食品比率が想定より高く、粗利率はやや低い結果に。

・初めての企画展ということもあり、さまざまな気づき・データを得られた。購入客の出身地でみると、「地元（九州出身）と非地元の割

キュウシュウ、ホッカイドウトウホクの実績

1. キュウシュウ、ホッカイドウトウホクの売上実績

ホッカイドウトウホクはキュウシュウに比較して購入単価は若干高いものの、
購入客数の落ち込みにより、売り上げは2割ほど低くなった。

2カ月の合計	キュウシュウ（8月2日〜10月2日）	ホッカイドウトウホク（10月5日〜12月4日）
売り上げ	¥9,451,343	¥7,801,050
粗利率	43.7%	48.0%
購入客数（人）	3,367	2,656
購入単価	¥2,818	¥2,937
食品比率	48%	43%

キュウシュウの売上分析（出身別）

1. 売上分析（出身別）

アナザー・キュウシュウ		非地元	地元	聞けず
売上	8月	¥2,888,940	¥622,066	¥189,030
	9月	¥4,524,817	¥531,420	¥328,295
	10月	¥236,783	¥129,992	¥0
	合計	¥7,650,540	¥1,283,478	¥517,325
	構成比	80.95%	13.58%	5.47%
客数	8月	1,155	188	94
	9月	1,544	156	121
	10月	74	34	1
	合計	2,773	378	216
	構成比	82.36%	11.23%	6.42%
購入単価	8月	¥2,501	¥3,309	¥2,011
	9月	¥2,931	¥3,407	¥2,713
	10月	¥3,200	¥3,823	¥0
	合計	¥2,759	¥3,395	¥2,395

非地元のお客様が売り上げ・客数の
80%以上を占める。

地元のお客様の購入単価は、
非地元のお客様より636円高い。

2

キュウシュウの売上分析（来店回数別）

1. 売上分析（来店回数別）

	客数割合	客単価
初来店	72.3%	¥3,141
2回目以上	27.4%	¥4,123
聞けなかった	0.3%	¥1,561
	100.0%	¥3,406

リピーター（2回目以上）の
購入単価は、およそ1000円高い。

1

合は2：8だったが、地元客のほうが購入単価が636円高い」「リピーターの方の購入単価は1000円以上高い」など、今後の企画展経営にも生きるデータを取得できた。

・セトラーにとっても、今まで抽象的に語っていたビジョンとコンセプトを現場で体感・体現できる機会となった。左記は、キュウシュウ担当の企画展終了後の声を、当時のnote記事から一部抜粋したもの。

◆　◆　◆

2カ月を終えた今、私はトップバッターを務めさせていただけてよかったと心から思っています。

まず何よりも、キュウシュウのかっこよくて、

今後の方向性

1．売上分析から見えた今後の方向性

購入単価の高い①地元出身者②リピーターへのアプローチを強化し、売上目標達成を目指す。

① 各企画展の地元出身者の来店を増やす　　地元のお客様の購入単価は、非地元のお客様より636円高い。

- 地元出身者にとっての「新しい発見」「懐かしさ」を探したくなる仕組み作り
- 店頭での出身地をお聞きし、各企画展のご案内を徹底する

② リピーターを増やす施策強化　　リピーター（2回目以上）の購入単価は、1000円以上高い。

- AJファンを増やす取り組みの強化
  - セトラー個人を押し出したSNS発信
    - どんな思い・背景で取り組んでいるのか
  - セトラーとの交流企画
- 同じ企画展内でも再度来たくなる仕組み
  - 再入荷商品/イベント/内装入れ替え
- 公式LINEの活用促進
  - 店頭でのLINE登録促進

3

あたたかい作り手の皆様との出会いに感謝しています。商談時にはまだ店舗すら完成していない。前例がなく、どんなお店になるのか自分たち自身でも想像がつかない中、商談に行くことはとても不安でした。そんな中60社をこえる作り手の皆様が快くご出展くださったこと、これほど有難いことはありません。

作り手の皆様も、私たちと一緒に初めての挑戦をしてくださったのです。少しずつアナザー・ジャパンの認知が広がっていき、メディアでの反響やお客さんからの声をお伝えするたびに本気で喜んでくださり、メールでの一言や発注した商品の中に入っていたお手紙に、幾度となく励まされ、2カ月を走り切ることができました。遠方にもかかわらず、店舗に来てくださる作り手の皆様もたくさんいらっしゃいました。完成した店舗を見て喜んでくださる笑顔が何よりもうれしかったです。

そうやって仕入れてきた商品がいざ店頭に並び、お客さんからもいろいろな反応をいただけるようになりました。どんな言葉を使えば、より商品の魅力が伝わるのか。商品を使う場面をイメージしてもらえるのか。ちょっとした言葉遣いの変化でお客さんが感じる印象はこんなにも変わるのか！と、発見の毎日でした。

「こんな楽しい買い物、久しぶりだった！」「九州に行きたくなった！」と言っていただけたときは、私たちの目指す「もうひとつの日本」に少し近づけたような気がしてとてもうれしかったです。改めて、「新しい発見と懐かしさを届け、もうひとつの日本をつくる」という私たちのビジョンの達成にはお客さんとのコミュニケーションが大切であることを実感しました。

開業と同時に、接客だけでなく店舗を運営していくためのたくさんの仕事に追われるようになりました。再発注のタイミングや個数の感覚をつかむのが難しく、棚が寂しくなってしまったり…レジミスをしてしまったり…イベントの集客に苦労したり…たくさん失敗もしてしまったけれど、どうしてその失敗が起きてしまったのかを考え、セトラー18人でよりよい解決策を探し実行していく毎日の中で、確実に成長することができた2カ月間だったように思います。

お客さんからのリアクションや店舗運営に必要なことは、どれだけ準備を重ねても開業するまでは分からないことも多かったです。トップバッターだったからこそ気がつけたことがたくさんありました。そして次の私たちの役目はそうして学んだことを先の企画展へ、そして2期生へとつないでいくことです。

「もうひとつの日本をつくる」ための最初の一歩を踏み出せたことを心から光栄に思います。どうぞこれからも、「アナザー・ジャパン」をよろしくお願いいたします！

（長崎県出身・山口 晴）

◆ ◆ ◆

アナザー・ホッカイドウトウホクの結果報告

コンセプトは「奥を味わう、ホッカイドウトウホク」

・キュウシュウ展の盛り上がりを引き継ぐ形でホッカイドウトウホク展も好スタート。10月の売り上げは430万円とまずまずの結果に。

・しかし、10月末から11月にかけて入店客数が落ち着き、売り上げも下落。11月単月では売り上げ350万円、企画展合計で780万円という結果で着地する。集客がメディア露出依存になってしまっている実態が明らかに。

・ホッカイドウトウホク展では気合を入れて550SKUを仕入れたが、商品数が多くなり過ぎてお客さんの興味が分散してしまった。地元の魅力を伝え

ホッカイドウトウホクのコンセプトとステートメント

アナザー・ジャパンの勝ち筋（仮説）

1. AJの勝ち筋の仮説

売り場・施策について

- **購入単価をあげる施策**(季節性のあるセット商品、味比べセット商品、送料無料)
- 売れ行きや在庫状況に応じた**こまめな陳列替え**

イベントについて

- **作り手の顔が見える**イベント
- 次期セトラー希望者が、セトラーの活動の様子を知れるイベント
- 日常的な**試食・試飲**
- **地域性のあるマルシェ**

接客について

- 初来店かリピーターか、地元か非地元など、**お客様の属性によって接客の仕方を変える**
- **平日午前中にご来店くださる方は、目的意識が強く購入にも積極的な方が多い**ため、客数が少ない分より丁寧に接客をしましょう

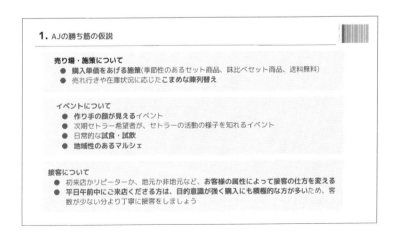

イベントの振り返り

1. イベントの分析

鈴木醤油店様のトークイベントを11月19日（土）に開催。

ご意見・ご感想（一部抜粋）

- 美味しくいただいているお醤油、本当に丁寧に作られているストーリーをお伺いできてとても充実した時間でした。
- **会場全体で地元愛が溢れる素敵な雰囲気**があって心地よかったです。
- 心地よく、あっという間に時間が過ぎていました。お料理も美味しかったです。お二人とも、ただのプレゼンではなく、**ライブ感を大切にしながらのお話、とても楽しかったです**。アナザージャパンも鈴木醤油さんも好きになりました。これからも応援したいです。また、商品にあるストーリーを伝えるという姿勢、とても素敵だなと思いました。
- 初めて聞く話が多く、**「醤油」に対する意識が変わりました**。自社の商品のみならず、さまざまな販売元の醤油をペアリングしてほしいという純粋な醤油愛に感動しました！
- 話にもあったが、確かに**とりあえず安いものを買っていましたが、生産者のこだわりやストーリーに注目して、「良いもの」を選びたい**と感じた。
- このような**人の顔の見えるイベント**を開催してほしいです。

アナザー・ジャパンの勝ち筋（仮説：商品セレクト）

1. AJの勝ち筋の仮説

商品セレクトについて

- **SNS発信などにご協力いただける**事業所様を含められると良さそう
- **東京ではAJでしか買えない**商品を含められる仕入れ力が問われる
- 地元のお客様・地域創生に興味のある方が興味を持ってくださるような、**産学連携商品やセトラーの地元から仕入れたもの**を含める
- **郷土玩具の製作技術を守りながら作られた、かわいらしい置物**の人気が高い
- 食品は、**調理せずにそのまま食べられるもの**の人気が特に高い
- **サイズ・カラーバリエーションが豊富なものと絞るもののメリハリを付ける**
- **SKU数は450くらい**が丁度良さそう（SKU500以上は多すぎた）

るための適切な仕入れバランスに課題が残る。
・顧客属性（地元・非地元比率や年代など）はキュウシュウ展と大きな変化はなし。徐々にアナザー・ジャパン店舗全体の傾向が見え始める。
・新しい試みとして、作り手さんを店舗に招いたトークイベントや、作り手さんと共同でのマルシェ出店を実施。新しい発見を届け、現地に訪れるきっかけを提供する機会に。
・2カ月で収支を改善することはできなかったものの、今後への気づきと課題を多く抽出する期間となった。左記は、企画展終了後の声を当時のｎｏｔｅ記事から一部抜粋したもの。

◆
◆
◆

私は岩手県沿岸部の大槌町という小さな町の出身で、アナザー・ジャパンに参加できたからには、絶対にこの町のものを東京で売ると決めていました。お客さんの中には、大槌町をご存知の方も想像以上に多かったですが、やはり東日本大震災の文脈で名前を聞いたことがあるという方がほとんどでした。

「震災で大変だった町」ではなく、「震災にも負けない強さを持った、強くて素敵な人がいて、面白いものや動きが生まれている町」というイメージを持ってもらいたかったので、その想いが伝わるような接客を心がけていました。

大槌町からは2つの事業所様から商品を仕入れさせていただきましたが、どちらの事業所様も私を温かく受け入れてくださり、企画展期間中も何度も優しくて元気の出る励ましの言葉をくださりました。商品をご購入くださったお客さんの心に、大槌町が少しでも残ってくれれば、これほどうれしいことはないと思います。

（中略）

ホッカイドウトウホク展の期間中は、事業所様やお客さんに支えられてアナザー・ジャパンというお店が成り立っていることを改めて強く感じました。私たちを応援したいという気持ちで商品をお預けくださった事業所様に少しでも恩返しをしたい、お客さんに、地域の歴史や風土、作り手さんの想いが詰まった商品をお届けしたいという一心で、がむしゃらに駆け抜けた2カ月間でした。

ホッカイドウトウホク出身のお客さんと地元トークで盛り上がったり、ホッカイドウトウホクは旅行で行ったことがあるよという方に、まだまだ魅力があることをお伝えしたりすることはとても楽しかったし、私がアナザー・ジャパンで実現したかったことが形になった幸せな時間でした。2期生以降にアナザー・ジャパンをつなぐという、私たち1期生の大きなミッションのためにも、数字にもこだわり続けました。結果だけ見ると、ホッカイドウトウホク展の期間中に改善させることはできませんでしたが、次に続いていく企画展や、これからのアナザー・ジャパンの糧になるようなヒントのかけらをたくさん集めることができました。チュウブ以降も改善を積み重ね、数字とビジョンの両方を追い求めていきます。

（岩手県出身・小國瑞奈）

アナザー・ジャパンの現場で見てきたビジョンファースト経営の重要性

三菱地所　TOKYO TORCH事業部　企画ユニット
ユニットリーダー　谷沢直紀

三菱地所のプロジェクトメンバーは、アナザー・ジャパンの店舗がある東京駅前「TOKYO TORCH」を拠点に日々活動している。私は、セトラー1期生18人の経営研修がスタートした2022年3月から約1年間にわたって、より現場に近いところでメンバーの活動を目にしてきた。

今から1年前、フロンティアスピリットと郷土愛という高い「志」を持ったセトラーと最初に顔合わせしたときのことを、鮮明に記憶している。モチベーションは高いが、どのように筋道を立てて進んでいけばいいか分からない。最初は全員がそんな状態だった。ところが経営研修を通して共通のビジョンを言語化し、全員がアナザー・ジャパンを徐々に自分事化していく中で、研修の終盤にはビジョンを基にいいお店をつくるという強い一体感が生まれ、全員の顔つきが変わっていった。

　その勢いで全員が一丸となり、２０２２年8月、無事に開業を迎えることができた。幸いメディアにも多く取り上げていただき、多くのお客さんに店舗へ足を運んでいただいたことで、順調に店舗経営はスタートした。

　しかし店舗開業後、セトラー全員が集まって時間を取ることが急に難しくなった。日々、店舗の販売スタッフとして物理的な時間を取られることはもちろん、さらに2番目、３番目の企画展メンバーは仕入れ出張で不在がちになった。そうした状況の中で新たな打ち手を考え、実行していかなければならない。徐々に手が回らなくなり、店舗で起こる変化や課題を全員が感覚的に理解しながらも、解決策について十分な議論ができないという壁が立ちはだかった。結果的に売り上げも落ち込み、私たち本部も含めてメンバー全員が苦い経験を味わった。

　それでも、彼ら彼女らは、自分たちの力で態勢を立て直そうと日々努力を続けている。年末年始の休業期間や閉店後の時間を利用して、しっかりと議論する機会をつくったり、2期生の募集がスタートしたことをきっかけに、原点である「共通のビジョン」に立ち返ったりして、失敗から立ち直る機会も含めて、経営者としての経験を日々積んでいる。

1期生は2023年の夏にはアナザー・ジャパンとしての卒業を迎え、2期生にバトンタッチする「。現代は、過去の成功の中に正解はなく、何をやりたいかという「ビジョン」こそが成長の源泉となり、周りの人を引き付ける求心力となる時代である。アナザー・ジャパンの卒業生が切り拓く「もうひとつの日本」に大いに期待したいし、アナザー・ジャパンのビジョンが多くの方に届き、何か新しいことをスタートしたいという次のビジョンの誕生につながっていくことを期待したい。

おわりに

いかがでしたでしょうか？　本書がみなさまの仕事に、経営に、何か一つでもヒントになっていれば幸いです。

三菱地所さんと中川政七商店で取り組むこのアナザー・ジャパン・プロジェクトに込めた想いについて、あらためてお話ししたいと思います。

地方創生が叫ばれ、それなりの月日がたちました。コロナ禍で一瞬、東京圏からの転出超過はあったものの、早々にその流れも終わり、再び東京圏への転入超過に戻ったようです。奈良という地方都市で商売をしているとなおさら感じますが、結局、会社が成長するかどうかは人に依存するということです。志と能力のある人が集まれば会社は成長します。その逆もしかり。現状は残念ながら、志と能力がある人ほど東京に流れていると感じます。

しかし30年前と違うのは、みな地元で働く道はないものかと検討模索していることです。残念なことに、転職を検討しても地元のいい企業に出合えずにUターンを諦め、結局、東京で働き続けるということが散見されます。地元にも本当はいい会社があるはずなのに……。アナザー・ジャパン・プロジェクトは学生時代の店舗経営を通じて頂いたご縁が、将来起業や転職を考えたときに再びよみがえり、志と能力のある若い人たちが地元に戻ることを最大の目標にしています。その流れが生まれたとき、本当の地方創生を実現できるのではないかと真剣に考えています。この取り組みが継続し、卒業生たちがたくさん地元に戻って活躍してくれることを夢見ながら、今日もみんなで元気にお店を運営しています。

最後に、この経済合理性よりも志を優先したプロジェクトに共感し、協働していただいている三菱地所の茅野静仁さん、谷沢直紀さん、加藤絵美さん、林樹樹さん、山川咲子さん、しょっちゅうお店をのぞいて学生たちを気にかけていただき、本当にありがとうございます。

オフィスキャンプの坂本大祐さん、勝山浩二さん、西岡潔さん、勇気とクリエイティビティーをこのプロジェクトに与えていただき、ありがとうございます。やぐゆぐ道具店の鈴木文貴さん、岩田茉莉江さん、学生たちのホームであるすてきなお店をありがとうございます。

エリアメンターを引き受けてくださった小板橋基希さん、山田遊さん、新山直広さん、二宮敏さん、佐藤かつあきさん、みなさまの温かいまなざしのおかげで学生が思い切って取り組むことができています。ありがとうございます。

経済的に成立しがたいプロジェクトを支え、応援してくださっている協賛企業のみなさま、期待に応えることができる日まで頑張り続けます。ありがとうございます。

商品を提供くださっているお取引先のみなさま、学生の至らない点も多々ある中で、一緒になって応援してくださることが学生の何よりの心の支えです。ありがとうございます。

書籍化を実現し、ほぼすべての講義にお付き合いいただき書き起こしていただいた日経ＢＰの花澤裕二さん、廣川淳哉さん、まだ何もない状況の中で志に共感し、早々に書籍化に前向きなお返事を頂けたことが大きな勇気になりました。ありがとうございます。

アナザー・ジャパン・プロジェクトの中心メンバーである中川政七商店の安田翔さん、佐々木星さん、佐藤菜摘さん、道なき道をフロンティア精神をもって切り拓いてくれてありがとう。みんなの姿勢がセトラーのお手本でもあります。

本当に多くの方々に支えられてこのプロジェクトがあることを再認識します。

これからもみんなで力を合わせて「日本の未来に灯りをともして」いきます。

みなさまのご支援とご愛顧を、なにとぞよろしくお願いいたします。

2023年3月

中川政七商店　十三代　中川淳

アナザー・ジャパン・プロジェクト協賛企業

株式会社足利銀行
株式会社アスティ
株式会社伊藤園
宇和海真珠株式会社
株式会社オリバー
環境大善株式会社
木村石鹸工業株式会社
コクヨ株式会社
一般社団法人こゆ地域づくり推進機構
サツドラホールディングス株式会社
株式会社ジェイ・エス・ビー株式会社
株式会社ＪＴＢ
株式会社静岡銀行
地主株式会社
株式会社常陽銀行
株式会社新藤

株式会社スマレジ
株式会社船場
株式会社丹青社
ちきり清水商店株式会社
株式会社千葉銀行
デロイト デジタル
東京センチュリー株式会社
ＴＯＴＯ株式会社
有限会社ナカモリ
株式会社南都銀行
株式会社ニッポン放送
一般社団法人野ノ編集室
株式会社ＨＵＩＳ
株式会社八十二銀行
株式会社菱屋
ひつじサミット尾州実行委員会

株式会社百五銀行
株式会社広島マツダ
合同会社フードマーク
フジエダ珈琲株式会社
古河電気工業株式会社
株式会社ホーテック
堀田カーペット株式会社
町田ローソク株式会社
三井住友建設株式会社
株式会社ＭＩＬＬＥ
和布刈神社
株式会社山のくじら舎
ユカイ工学株式会社
株式会社ラック
株式会社わざわざ

（50音順）

中川 淳 Jun Nakagawa

1974年生まれ。京都大学法学部卒業後、2000年富士通株式会社入社。2002年に株式会社中川政七商店に入社し、2008年に十三代社長に就任、2018年より会長を務める。業界初の工芸をベースにしたSPA業態を確立し、「日本の工芸を元気にする！」というビジョンのもと、業界特化型の経営コンサルティング事業を開始。現在は学生経営×地方創生プロジェクト「アナザー・ジャパン」や志あるブランドを世の中に届ける共同体「PARaDE」を提唱。「カンブリア宮殿」「SWITCH」などテレビ出演のほか、経営者・デザイナー向けのセミナーや講演歴も多数。著書に『奈良の小さな会社が表参道ヒルズに店を出すまでの道のり。』『ブランドのはじめかた』『ブランドのそだてかた』『経営とデザインの幸せな関係』(日経BP)、『日本の工芸を元気にする！』(東洋経済新報社)。

中川政七商店が18人の学生と挑んだ
「志」ある商売のはじめかた

2023年3月27日 初版第1刷発行

著　者　中川 淳
発行者　杉本昭彦
発　行　株式会社日経BP
発　売　株式会社日経BPマーケティング
〒105-8308　東京都港区虎ノ門4-3-12
編　集　廣川淳哉、花澤裕二（日経デザイン）
装　丁　勝山浩二（合同会社オフィスキャンプ）
制　作　株式会社エステム
印刷・製本　大日本印刷株式会社

ISBN 978-4-296-20074-0　Printed in Japan